P9-CFH-910

Éditrice: Caty Bérubé
Chef d'équipe production éditoriale: Crystel Jobin-Gagnon
Chef d'équipe rédactrices en chef et chargées de contenus: Laurence Roy-Tétreault
Chargée de contenus: Lauréanne Hallé
Auteurs: collectif
Rédactrice: Josée D'Amour
Chef d'équipe révision et assistance: Marie-Christine Bédard
Assistante à la production: Catherine Fortier
Réviseures: Edmonde Barry, Joanie Boutin, Stacy Breton, Émilie Marcotte et Viviane St-Arnaud.
Chefs d'équipe production graphique: Marie-Christine Langlois et Annie Gauthier.
Conceptrices graphiques: Sonia Barbeau, Sheila Basque, Marie-Chloë G. Barrette, Karyne Ouellet et Josée Poulin.
Directrice du studio: Christine Morin
Chefs cuisiniers: Benoit Boudreau (chef d'équipe), Richard Houde et Alexandra Roy.
Stylistes culinaires: Geneviève Charron, Alexandra Guévin Thibault, Maude Grimard, Carly Harvey et Joséphine St-Laurent Pelletier.
Photographes: Jean-Christophe Blanchet, Michaël Fournier, Rémy Germain, Marie-Ève Lévesque (chef d'équipe) et Thierry Pateau.
Photographes et vidéastes: Tony Davidson et Francis Gauthier.
Spécialiste en traitement d'images et calibration photo: Yves Vaillancourt
Collaboratrice: Céline Guérin

Mise en marché
Directeur de la distribution: Marcel Bernatchez
Chef d'équipe logistique et entrepôt: Valérie Boivin
Responsable territoire: Lise Fortin
Commis d'entrepôt: Nancy Arteau et Normand Simard.
Distribution: Pratico-Pratiques inc. et Messageries ADP.
Impression: TC Interweb Boucherville

Administration
Présidente: Caty Bérubé
Vice-présidente opérations: Julie Doddridge
Vice-présidente ventes et marketing: Émilie Gagnon
Vice-présidente administration: Alexandra Poiré
Directrice des ressources humaines: Chantal St-Pierre
Adjointe à la comptabilité et à la production: Carole Bélanger
Technicienne comptable: Sylvie Dion
Commis à la facturation: Josée Pouliot
Coordonnatrice de bureau: Josée Lavoie

Catalogage avant publication de Bibliothèque et Archives nationales du Québec et Bibliothèque et Archives Canada

Titre: Soupers à l'avance en 5 ingrédients, 15 minutes.
Autres titres: Soupers à l'avance en cinq ingrédients, quinze minutes
Description: Mention de collection: Livre 5-15 | Comprend un index.
Identifiants: Canadiana 2021005509X | ISBN 9782896588190 (vol. 2)
Vedettes-matière: RVM: Cuisine préparée à l'avance. | RVMGF: Livres de cuisine.
Classification: LCC TX652.S68 2021 | CDD 641.5/55—dc23

Dépôt légal: 3e trimestre 2021
Bibliothèque et Archives nationales du Québec
Bibliothèque et Archives Canada
ISBN 9782896588190

Gouvernement du Québec. Programme de crédit d'impôt pour l'édition de livres – Gestion SODEC

Financé par le gouvernement du Canada | Canada

© Pratico Édition, 2021.

Pratico Édition, filiale de Les Entreprises Pratico C.B.

(Québec, Québec)

Tous droits réservés. Il est interdit de reproduire, en tout ou en partie, les textes, les illustrations et les photographies de ce livre.

Bien que toutes les précautions aient été prises pour assurer l'exactitude et la véracité des informations contenues dans cette publication, il est entendu que Pratico Édition ne peut être tenue responsable des erreurs issues de leur utilisation.

7710, boulevard Wilfrid-Hamel, Québec (QC) G2G 2J5
Tél.: 418 877-0259
Sans frais: 1 866 882-0091
Téléc.: 418 780-1716
www.pratico-pratiques.com

Commentaires et suggestions: info@pratico-pratiques.com

SOUPERS À L'AVANCE

125 nouvelles recettes à congeler pour les soirs pressés

Table des matières

S'organiser à l'avance pour profiter de ses soirées

Peu importe notre situation familiale et professionnelle, les soirées de semaine sont un feu roulant d'obligations et de tâches à accomplir avant de pouvoir enfin penser à s'asseoir et à souffler un peu. Parmi les activités incontournables de ce 5 à 7 souvent infernal se trouve la préparation du souper, qui s'effectue bien souvent à travers les devoirs, la vaisselle et le lavage qui s'accumulent (sans oublier le cours de danse de la petite dernière !).

Encore une fois, on a pensé à vous et on vous offre l'outil parfait pour vous permettre de relâcher la pression liée aux soupers de semaine. Notre petit nouveau de la collection *5-15* regorge d'idées de repas à concocter à l'avance quand vous avez du temps devant vous, afin que vous puissiez profiter de soirées plus relax quand tout le monde crie famine. Vous adorerez entre autres nos sacs à congeler, qui pourront se cuisiner à la mijoteuse, sur la plaque ou en sauté, ainsi que nos petits plats qui passent aisément du congélo au four pour vous sustenter presque sans effort.

En suivant nos conseils, vous profiterez de plus de temps pour vous. Bien sûr, notre mode d'organisation est parfait avant l'arrivée d'un nouveau bébé ou à l'approche d'un retour au travail. Toutefois, pas besoin d'avoir de changement dans notre routine de vie pour l'utiliser : on peut simplement vouloir profiter de soirées plus zen sans négliger son alimentation pour autant.

Nous espérons que vous apprécierez autant que nous ce tome 2 consacré aux soupers à l'avance et qu'il trouvera sa place dans votre quotidien chargé.

Vive la bouffe maison !

L'équipe du 5-15

LA CONGÉLATION OU
l'art de se faciliter la vie

Parmi toutes les tâches qui pèsent sur nos épaules et qui reviennent inlassablement, la planification et la préparation des repas de la maisonnée trônent souvent en tête de liste. Pourtant, avec une bonne planification et un bon congélo, la routine des soupers peut être grandement facilitée !

On vous en fait encore une fois la preuve avec une panoplie de trucs et d'astuces pour redécouvrir cet appareil souvent mal-aimé ou sous-utilisé. Une fois ce nouveau meilleur ami bien garni, vous serez toujours paré à toute éventualité et pourrez vous régaler de bons repas maison. Plus d'excuse pour commander du resto ou pour vous contenter de plats surgelés du commerce quand le temps ou l'énergie pour cuisiner vous manque !

Un tri s'impose

Avant de vous mettre au travail, commencez par effectuer un bon ménage du congélateur. Vous pourrez ainsi y entreposer vos denrées de façon plus efficace. Jetez tous les aliments périmés ou ceux qui y traînent depuis belle lurette. Un appareil organisé et bien aéré sera plus performant et conservera mieux les denrées, en plus d'être moins énergivore. Vous pourrez ensuite le diviser en différentes sections : viandes crues, fruits et légumes surgelés, pains, mets cuisinés, desserts, collations et gâteries glacées, par exemple.

ORGANISATION 101

Munissez-vous de bacs en plastique afin de bien organiser vos victuailles. Les magasins à un dollar sont une mine de trouvailles pour bien ranger vos différents produits dans le congélo et mieux vous y retrouver. Choisissez de grands bacs transparents en acrylique ou en plastique et divisez vos denrées selon les différentes catégories choisies. Ainsi, vous saurez plus facilement où chercher votre restant de potage ou un paquet de saucisses italiennes sans crainte de vous geler les doigts.

Plats en plastique : Shutterstock

CORVÉE DE NETTOYAGE

Profitez de cette réorganisation pour bien nettoyer votre appareil. Une fois qu'il est vidé, débranchez-le. À l'aide d'un chiffon ou d'une éponge imbibée d'un savon doux dilué dans de l'eau tiède, frottez toutes les parois ainsi que la porte et les compartiments amovibles. N'oubliez pas de nettoyer et de vérifier le joint d'étanchéité ! Vous pouvez également passer un chiffon sec sur les commandes et les pièces électriques. Une fois le tout propre, essuyez l'ensemble de l'appareil avec un linge sec, replacez vos aliments et rebranchez. Recommencez une fois par année, idéalement en hiver. Vous pourrez alors profiter des températures froides pour conserver vos denrées à l'extérieur sans danger.

⇨ Au lieu d'utiliser des produits nettoyants du commerce, faites votre propre savon doux maison et sans danger pour vous et l'environnement ! Il suffit de mélanger 30 ml (2 c. à soupe) de bicarbonate de soude avec 4 tasses (1 litre) d'eau tiède.

Quel est le meilleur endroit pour positionner votre congélateur ? Assurez-vous qu'il se trouve à au moins 5 cm (2 po) du mur et qu'il se situe loin d'une source de chaleur.

Inventaire détaillé

Afin de toujours connaître le contenu de votre congélateur et ainsi d'éviter le plus possible le gaspillage alimentaire, tenez un inventaire de ce qu'il renferme. Faites une liste la plus complète possible et divisée selon les différentes sections de votre appareil. Cela vous aidera lors de la planification de votre menu hebdomadaire, alors que vous avez des dizaines de poitrines de poulet qui attendent d'être cuisinées à leur tour ou qu'il reste seulement un pot de sauce à spaghetti pour dépanner. Pour que cet outil demeure efficace au quotidien, il est important de bien rayer de la liste tout ce qui sort du congélateur au fur et à mesure. Assurez-vous de faire participer toute la famille pour éviter les mauvaises surprises. Pour faciliter le tout, mettez la liste bien en vue, sur la porte du congélo par exemple, avec un crayon aimanté à proximité.

Vous disposez d'un congélateur coffre et avez de la difficulté à atteindre le fond ? Utilisez des caisses de lait ou des bacs renversés afin de créer des plateaux. Vous aurez ainsi plus facilement accès à vos aliments.

Illustrations réfrigérateur et calepin : Shutterstock

Bien identifier

Afin de bien vous retrouver, identifiez vos sacs de congélation et contenants hermétiques. À l'aide d'un marqueur permanent, inscrivez toutes les informations pertinentes directement sur le sac ou sur un ruban-cache apposé sur le plat. Voici ce que l'on devrait y retrouver :

- Nom de la recette
- Nombre de portions
- Date de préparation (ou date maximale de consommation)
- Mode et temps de cuisson
- Étapes restantes avant de pouvoir consommer le contenu
- Ingrédients à ajouter au moment de la cuisson

SOS
panne de courant !

Oh non ! Une panne d'électricité est survenue dans votre secteur et votre congélateur déborde... Que faire ? Surtout, pas de panique ! Si votre appareil fonctionne bien et qu'il est rempli, les aliments devraient rester congelés environ 48 heures. Un congélo rempli à moitié, quant à lui, gardera les denrées au froid environ 24 heures. Pour ce qui est des appareils greffés au frigo, ils conserveront la fraîcheur encore moins longtemps. Dans tous les cas, assurez-vous de vérifier la température des aliments avant de les cuisiner ou de les consommer et résistez à la tentation d'ouvrir souvent la porte pour constater les dégâts !

PEUT-ON RECONGELER UN ALIMENT DÉCONGELÉ ?

Les viandes crues décongelées pourront être à nouveau congelées une fois cuites. Les aliments dont le centre est encore parfaitement dur et gelé pourront également retourner faire un séjour dans le congélateur, tout comme les blocs de fromage, les jus de fruits pasteurisés, le pain et les fruits et légumes si leur contenant est intact. Toutefois, les denrées périssables (dont les mets cuisinés) complètement décongelées et dont la température au cœur est plus élevée que 4 °C (39 °F) ne doivent pas être consommées.

La planification, c'est la clé !

Après avoir vidé une partie de votre congélateur, c'est le moment de le remplir à nouveau ! Profitez des jours de pluie pour cuisiner une variété de repas qui vous sauveront la vie les soirs de semaine et allégeront votre planification. Pour ce faire, laissez-vous inspirer par les viandes que vous avez déjà au congélo. Les circulaires sont aussi une bonne source d'idées de menu et vous permettront en plus d'économiser. Tâchez de regrouper plusieurs recettes ayant des ingrédients semblables, ce qui vous fera économiser du temps et de l'argent lors des achats et de la préparation.

⇨ Votre temps est compté ? N'hésitez pas à utiliser des raccourcis du commerce pour certaines étapes. Mélanges de légumes surgelés, fromages râpés, boulettes de viande cuites et congelées… Choisissez les produits qui vous aideront le plus.

Les boutiques d'articles de cuisine regorgent d'outils pouvant réduire votre temps de préparation : mandoline, râpe pour le robot culinaire, mini-hachoir… Chaque tâche (ou presque) a son outil approprié !

Gestion des ingrédients

Qui n'a pas déjà été obligé de retourner à l'épicerie pour aller chercher une conserve de tomates en dés manquante lors de la préparation du souper ? Vous étiez pourtant certain de l'avoir mise sur la liste et de l'avoir achetée ! Mais une soupe improvisée plus tard, aucune trace de la conserve ! Pour éviter ces désagréments, prenez quelques minutes au retour de l'épicerie pour indiquer sur vos boîtes les recettes pour lesquelles elles sont prévues. Ainsi, si vous devez vous en servir pour autre chose, vous pourrez tout de suite le noter sur votre prochaine liste d'épicerie et éviter de devoir trouver un plan B.

L'IMPORTANCE DE LA MISE EN PLACE

Pour augmenter votre rythme de croisière et concocter plusieurs recettes d'avance en même temps, inspirez-vous des chefs et intégrez la mise en place dans votre préparation. Préparez tous les ingrédients en même temps et n'utilisez qu'un bol par recette. Sortez également tous les outils dont vous aurez besoin pour confectionner chaque repas, et préparez, mesurez et coupez chaque ingrédient. Votre efficacité sera décuplée !

Attirail de congélation

De quoi aurez-vous besoin pour congeler tous vos petits plats mitonnés avec amour ? Avec ces essentiels, vous serez bien équipé pour conserver adéquatement vos repas et autres denrées bien à l'abri des brûlures de congélation.

- **Marqueur permanent** pour bien identifier les sacs de congélation et les plats
- **Plats de différents formats** résistants à la congélation (plastique, céramique, verre borosilicate [de type Pyrex], aluminium)
- **Sacs hermétiques** (regarder sur l'emballage pour s'assurer qu'il s'agit bien de sacs de congélation)
- **Plaque** pour congeler individuellement les aliments fragiles
- **Papier parchemin ou papier ciré** pour séparer les portions et les étages

Photos papier parchemin, sac hermétique et marqueur permanent: Shutterstock

Réfléchir à ses besoins

Avant de congeler une lasagne format familial, demandez-vous si c'est vraiment ce dont vous avez besoin. En effet, comme vous ne pourrez pas recongeler le plat décongelé, il serait dommage de gaspiller cette nourriture si vous décidez de l'utiliser pour les lunchs. Une fois votre plat cuisiné, séparez-le immédiatement en portions pour vous faciliter la vie. Par exemple, un plat peut nourrir toute la famille un soir où le temps manque et le surplus ira dans des contenants individuels pour des lunchs vite faits, bien faits. Petit truc : doublez vos recettes, congelez une portion dans un grand contenant et divisez l'autre dans des petits contenants. Vous serez ainsi toujours prêt en cas de besoin, et ce, sans perte.

PAS D'AIR, SVP !

L'air est le plus grand ennemi des aliments congelés. Limitez les dommages en choisissant des contenants adaptés à la quantité de nourriture que vous allez y déposer, en laissant un espace d'environ 1 cm (½ po) entre celle-ci et le couvercle pour prévenir l'expansion des aliments lors du gel. Si vous utilisez des sacs hermétiques, retirez bien l'air des sacs avec une paille. Pour les pâtés, tartes, quiches ou autres recettes conservées dans une assiette à tarte en aluminium, couvrez-les de deux couches de pellicule plastique résistante, puis d'une feuille de papier d'aluminium.

PÉRIODE DE REFROIDISSEMENT

Il est nécessaire de refroidir les aliments avant de les entreposer au congélateur. Vous éviterez ainsi de faire grimper la température à l'intérieur de l'appareil et de faire dégeler certains articles plus sensibles aux variations de chaleur. Il suffit de déposer les plats au réfrigérateur quelques heures une fois que la vapeur ne s'échappe plus du couvercle. Une fois refroidis, ils sont prêts pour le congélo !

Pressé ? Il est possible de plonger les plats encore chauds dans l'eau froide pour les refroidir plus rapidement.

Une question de plat

Lorsque sera venu le moment d'enfourner votre repas, sachez que le temps requis pour le réchauffage ou la cuisson dépendra en grande partie du plat utilisé. En effet, le matériau qui compose le plat de cuisson a une grande incidence sur l'absorption de la chaleur, donc sur le réchauffage des aliments. Par exemple, un plat en aluminium, étant moins épais, réchauffera beaucoup plus vite votre lasagne que si celle-ci repose dans un plat en verre (de type Pyrex). C'est pour cette raison que nos recettes indiquent un laps de temps plus large pour la cuisson à la sortie du frigo ou du congélo. Adaptez-le selon le plat utilisé et, bien sûr, selon la puissance de votre four.

Dans le bon ordre

Faites un roulement dans votre congélateur quand vous y ajoutez de nouveaux articles. Organisez-le selon les dates de congélation des produits en plaçant les plus récents au fond. Cette rotation vous permettra de ne pas oublier ce qui se cache dans votre appareil et ainsi d'éviter le gaspillage alimentaire.

TEMPS DE CONSERVATION

L'une des questions les plus fréquentes est : combien de temps se conservent tous ces petits plats au congélateur ? Voici un tableau vous donnant une bonne idée du temps de conservation de vos mets cuisinés, dans les meilleures conditions d'emballage et de congélation :

Aliments	Temps de conservation
Boulettes de viande cuites	3 mois
Boulettes de viande en sauce	4 mois
Mets en casserole	3 mois
Plats de pâtes et sauce à la viande	2 mois
Poisson cuit	4 mois
Quiches et pâtés cuits	3 mois
Quiches et pâtés non cuits	2 mois
Viandes cuites sans sauce	De 2 à 3 mois
Viandes cuites avec sauce	4 mois
Volaille cuite sans sauce	De 1 à 3 mois
Volaille cuite avec sauce	6 mois

La porte du congélateur annexé au frigo est le pire endroit pour conserver ses aliments. En effet, comme la température baisse chaque fois qu'on l'ouvre, ce congélateur n'est pas recommandé pour une bonne conservation à long terme.

Ce tableau est à titre de guide seulement ; un mets consommé après ces dates ne sera pas dangereux pour la santé. Cependant, sa saveur, son apparence, sa texture et ses valeurs nutritives pourraient être altérées.

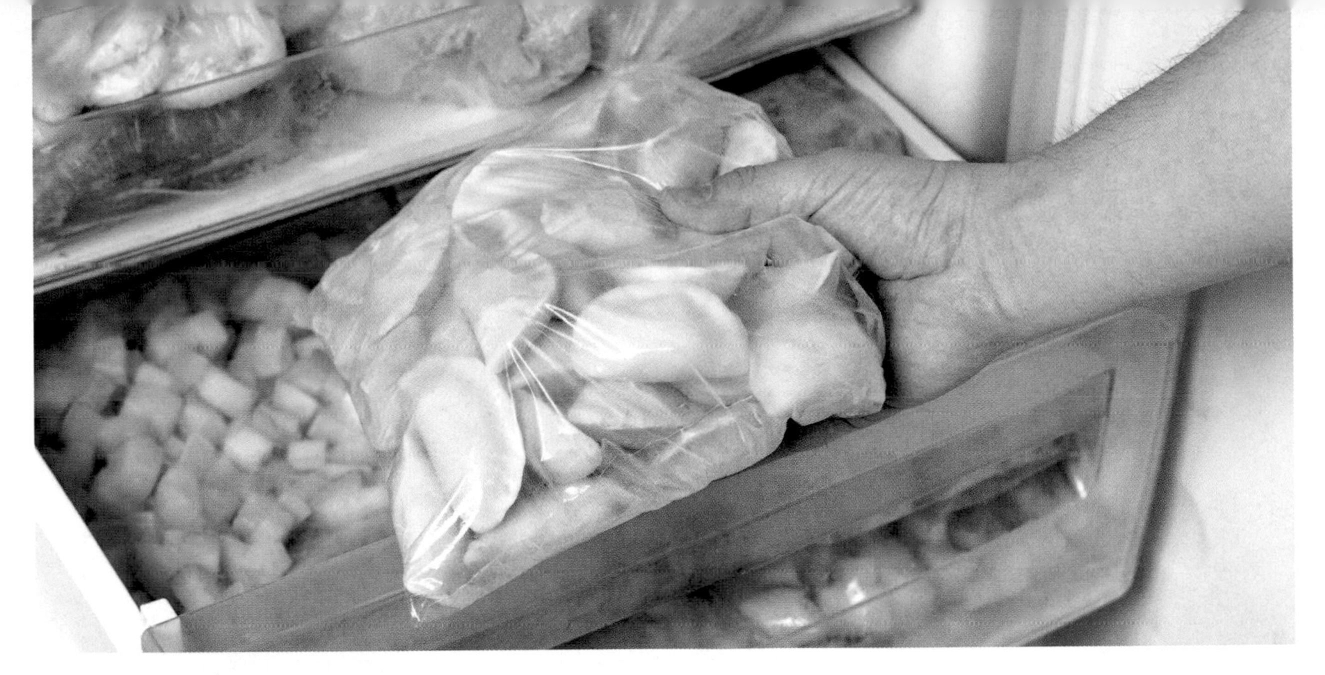

L'abc de la décongélation

L'un des enjeux des soupers à l'avance est leur décongélation en toute sécurité. Afin de ne pas être pris au dépourvu, planifiez vos repas de la semaine même s'ils nécessitent peu de temps en cuisine. Vous penserez alors à sortir ledit plat du congélo la veille et il dégèlera doucement.

Voici les méthodes de décongélation à préconiser :

1. **AU FRIGO.** C'est la meilleure façon de faire. Elle demande plus de temps, car elle doit être faite la veille, mais elle est la plus sécuritaire et donne de meilleurs résultats. En effet, en dégelant doucement, les aliments perdent moins d'eau et conservent ainsi une texture plus agréable.

2. **DANS L'EAU FROIDE.** Si vous manquez de temps, il s'agit de la solution offrant le meilleur rapport qualité/sécurité/temps. Assurez-vous que l'eau reste toujours froide et que le contenant ou le sac congelé est hermétique.

3. **AU FOUR.** Certains plats peuvent passer directement du congélateur au four, en ajustant bien sûr le temps de cuisson à la hausse. Évitez toutefois d'utiliser des plats en céramique ou en verre borosilicate (de type Pyrex), car ils sont très sensibles aux chocs thermiques. Vous risqueriez alors d'avoir un bon nettoyage de four à effectuer !

4. **AU MICRO-ONDES.** Si vous êtes vraiment pressé, le micro-ondes peut être utilisé, mais les résultats seront moins optimaux. Effectivement, même en utilisant l'option « Dégel », le plat aura tendance à surcuire de l'extérieur, alors que le cœur sera encore gelé. De plus, une pièce de viande dégelée au micro-ondes doit être cuite immédiatement après sa décongélation.

⇨ Attention ! Évitez la décongélation à température ambiante, puisque c'est la méthode préférée des bactéries. Pas de risques à prendre !

Combien de temps se conserve un aliment décongelé ?

La congélation interrompt la prolifération des bactéries, mais elle ne remet pas le compteur à zéro. Pour prolonger leur durée de conservation, cuisinez vos préparations avec des produits frais et congelez le tout dès que votre plat est assez refroidi. Pour décongeler la préparation, utilisez l'une des méthodes approuvées et vous pourrez la conserver au frigo de trois à quatre jours environ. Ne recongelez surtout pas les restes !

Photo aliments congelés: Shutterstock

SACS À CONGELER : MIJOTEUSE

S'offrir un bon repas maison sans se casser la tête, c'est simple quand on garde des sacs de mets prêts à cuire au congélo : on les décongèle au frigo la veille du repas, on les dépose dans la mijoteuse le matin, et le tour est joué ! En fin de journée, ne reste plus qu'à se laisser séduire par les arômes qui embaument la maison, puis à déguster !

1 **Sauce tomate**
625 ml (2 ½ tasses)

2 **Mélange de légumes frais pour sauce à spaghetti**
500 ml (2 tasses)

3 **Ail**
haché
15 ml (1 c. à soupe)

4 **Boulettes de viande à l'italienne surgelées**
1 paquet de 680 g

5 **Pesto de basilic**
60 ml (¼ de tasse)

Boulettes sauce tomate et pesto

Préparation **15 minutes** • Cuisson à faible intensité **5 heures** • Quantité **6 portions**

PAR PORTION	
Calories	349
Protéines	20 g
Matières grasses	24 g
Glucides	15 g
Fibres	3 g
Fer	3 mg
Calcium	47 mg
Sodium	989 mg

À l'avance

1. Dans un grand sac hermétique, mélanger la sauce tomate avec le mélange de légumes, l'ail et les boulettes, en s'assurant que tous les aliments sont bien enrobés de sauce tomate. Saler et poivrer. Retirer l'air du sac et sceller.

2. Déposer le sac à plat sur une plaque. Placer au congélateur.

La veille du repas

1. Laisser décongeler le sac de boulettes au réfrigérateur.

Au moment de la cuisson

1. Dans une grande mijoteuse, déposer la préparation aux boulettes. Couvrir et cuire de 5 à 6 heures à faible intensité.

2. Environ 5 minutes avant la fin de la cuisson, ajouter le pesto et remuer.

IDÉE POUR ACCOMPAGNER

Pâtes aux légumes

184 calories par portion

Dans une casserole d'eau bouillante salée, cuire 500 ml (2 tasses) de gemellis *al dente*. Égoutter. Dans la même casserole, chauffer 30 ml (2 c. à soupe) d'huile d'olive à feu moyen. Cuire 1 petite courgette coupée en demi-rondelles et 1 contenant de champignons blancs de 227 g coupés en quatre de 3 à 4 minutes. Ajouter les pâtes, 45 ml (3 c. à soupe) de persil frais haché et 30 ml (2 c. à soupe) de noix de pin rôties dans la casserole. Saler, poivrer et chauffer 1 minute. Garnir de 80 ml (⅓ de tasse) de parmesan râpé.

1 **Bouillon à fondue bœuf et oignon** du commerce 375 ml (1 ½ tasse)

2 **Haricots blancs** rincés et égouttés 1 boîte de 540 ml

3 **4 carottes** coupées en rondelles

4 **Céleri** 2 branches hachées

5 **Bœuf** 675 g (environ 1 ½ lb) de cubes à ragoût

PRÉVOIR AUSSI :
- **Moutarde de Dijon** 30 ml (2 c. à soupe)

Bœuf et haricots à la moutarde

Préparation **15 minutes** • Cuisson à faible intensité **7 heures** • Quantité **6 portions**

PAR PORTION	
Calories	338
Protéines	32 g
Matières grasses	10 g
Glucides	29 g
Fibres	6 g
Fer	4 mg
Calcium	74 mg
Sodium	933 mg

À l'avance

1. Dans un grand sac hermétique, mélanger le bouillon avec les haricots, les légumes, les cubes de bœuf et la moutarde, en s'assurant que tous les aliments sont bien enrobés des ingrédients liquides. Saler et poivrer. Retirer l'air du sac et sceller.

2. Déposer le sac à plat sur une plaque. Placer au congélateur.

La veille du repas

1. Laisser décongeler le sac de bœuf au réfrigérateur.

Au moment de la cuisson

1. Dans une grande mijoteuse, déposer la préparation. Couvrir et cuire de 7 à 8 heures à faible intensité.

VERSION MAISON

Bouillon à fondue bœuf et oignon

Dans une casserole, faire fondre 30 ml (2 c. à soupe) de beurre à feu moyen. Faire dorer 1 oignon émincé de 5 à 7 minutes. Verser 80 ml (⅓ de tasse) de vin rouge dans la casserole, puis laisser mijoter à feu moyen jusqu'à ce que le liquide ait réduit de moitié. Ajouter 250 ml (1 tasse) de bouillon de bœuf et 15 ml (1 c. à soupe) de pâte de tomates. Saler et poivrer. Porter à ébullition. Couvrir, puis laisser mijoter de 6 à 8 minutes à feu doux.

PAR PORTION	
Calories	547
Protéines	57 g
Matières grasses	25 g
Glucides	19 g
Fibres	3 g
Fer	1 mg
Calcium	59 mg
Sodium	2 091 mg

Poulet à la mexicaine

Préparation **15 minutes** • Cuisson à faible intensité **5 heures** • Quantité **4 portions**

1 **Tartinade au fromage fondu** de type Le petit crémeux
1 pot de 400 g

2 **Salsa douce**
1 pot de 418 ml

3 **1 petit oignon rouge**
émincé

4 **Poulet**
4 poitrines sans peau

5 **3 demi-poivrons de couleurs variées**

À l'avance

1. Dans un grand sac hermétique, mélanger la tartinade au fromage fondu avec la salsa, l'oignon et les poitrines de poulet, en s'assurant que tous les aliments sont bien enrobés des ingrédients liquides. Saler et poivrer. Retirer l'air du sac et sceller.

2. Déposer le sac à plat sur une plaque. Placer au congélateur.

La veille du repas

1. Laisser décongeler le sac de poulet au réfrigérateur.

Au moment de la cuisson

1. Dans une grande mijoteuse, déposer la préparation. Couvrir et cuire de 5 à 6 heures à faible intensité, jusqu'à ce que l'intérieur de la chair du poulet ait perdu sa teinte rosée.

2. Pendant ce temps, couper les poivrons en lanières. Réserver au frais.

3. Environ 30 minutes avant la fin de la cuisson, ajouter les poivrons dans la mijoteuse. Remuer.

ASTUCE *5-15*

Congelez les poivrons à part

Comme les poivrons n'ont pas besoin d'une longue cuisson, mieux vaut les congeler dans un sac à part des autres ingrédients de la recette. Vous éviterez ainsi qu'ils deviennent beaucoup trop mous et désagréables en bouche. De plus, pour maximiser leur saveur, évitez de les décongeler à l'avance. Vous n'aurez qu'à les ajouter dans la mijoteuse dès leur sortie du congélo.

PAR PORTION	
Calories	478
Protéines	44 g
Matières grasses	25 g
Glucides	25 g
Fibres	5 g
Fer	2 mg
Calcium	166 mg
Sodium	764 mg

Poulet tomates et basilic

Préparation **15 minutes** • Cuisson à faible intensité **5 heures** • Quantité **4 portions**

1 **Crème à cuisson 35 %**
180 ml (¾ de tasse)

2 **Tomates en dés avec assaisonnements italiens**
1 boîte de 796 ml

3 **Sauce marinara**
375 ml (1 ½ tasse)

4 **Poulet**
4 poitrines sans peau

5 **Basilic frais**
émincé
30 ml (2 c. à soupe)

PRÉVOIR AUSSI :
- **Fécule de maïs**
  30 ml (2 c. à soupe)

À l'avance

1. Dans un bol, mélanger la crème avec la fécule de maïs.

2. Dans un grand sac hermétique, mélanger les tomates en dés avec la sauce marinara, la préparation à la crème et les poitrines de poulet, en s'assurant que tous les aliments sont bien enrobés des ingrédients liquides. Saler et poivrer. Retirer l'air du sac et sceller.

3. Déposer le sac à plat sur une plaque. Placer au congélateur.

La veille du repas

1. Laisser décongeler le sac de poulet au réfrigérateur.

Au moment de la cuisson

1. Dans une grande mijoteuse, déposer la préparation. Couvrir et cuire de 5 à 6 heures à faible intensité, jusqu'à ce que l'intérieur de la chair du poulet ait perdu sa teinte rosée.

2. Ajouter le basilic et remuer.

IDÉE POUR ACCOMPAGNER

Linguines à l'ail

277 calories par portion

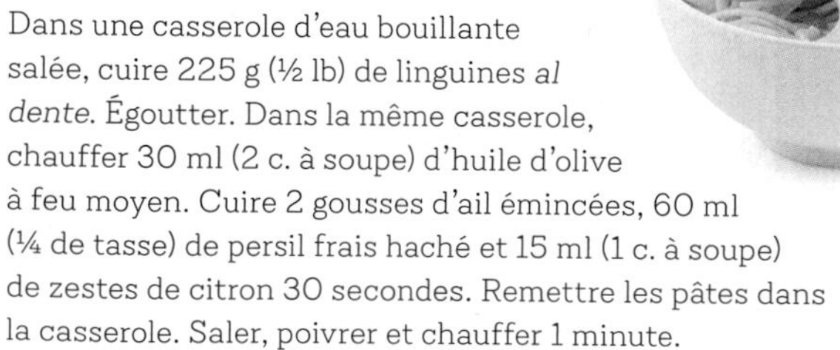

Dans une casserole d'eau bouillante salée, cuire 225 g (½ lb) de linguines *al dente*. Égoutter. Dans la même casserole, chauffer 30 ml (2 c. à soupe) d'huile d'olive à feu moyen. Cuire 2 gousses d'ail émincées, 60 ml (¼ de tasse) de persil frais haché et 15 ml (1 c. à soupe) de zestes de citron 30 secondes. Remettre les pâtes dans la casserole. Saler, poivrer et chauffer 1 minute.

Poulet marsala

Préparation **15 minutes** • Cuisson à faible intensité **5 heures**
Cuisson à intensité élevée **10 minutes** • Quantité **4 portions**

PAR PORTION	
Calories	467
Protéines	42 g
Matières grasses	18 g
Glucides	14 g
Fibres	1 g
Fer	1 mg
Calcium	69 mg
Sodium	103 mg

1 **Marsala**
250 ml (1 tasse)

2 **Champignons blancs**
coupés en quatre
1 contenant de 227 g

3 **Fines herbes fraîches au choix**
hachées
15 ml (1 c. à soupe)

4 **Poulet**
4 poitrines
sans peau

5 **Crème à cuisson 35 %**
160 ml (⅔ de tasse)

PRÉVOIR AUSSI :
- **Fécule de maïs**
  15 ml (1 c. à soupe)

À l'avance

1. Dans un grand sac hermétique, mélanger le marsala avec les champignons, les fines herbes et les poitrines de poulet, en s'assurant que tous les aliments sont bien enrobés de liquide et de fines herbes. Saler et poivrer. Retirer l'air du sac et sceller.

2. Déposer le sac à plat sur une plaque. Placer au congélateur.

La veille du repas

1. Laisser décongeler le sac de poulet au réfrigérateur.

Au moment de la cuisson

1. Dans une grande mijoteuse, déposer la préparation au poulet. Couvrir et cuire de 5 à 6 heures à faible intensité, jusqu'à ce que l'intérieur de la chair du poulet ait perdu sa teinte rosée.

2. Dans un bol, mélanger la crème avec la fécule de maïs. Incorporer la préparation à la crème dans la mijoteuse en remuant. Couvrir et poursuivre la cuisson de 10 à 15 minutes à intensité élevée, jusqu'à épaississement.

IDÉE POUR ACCOMPAGNER

Riz aux fines herbes

65 calories par portion

Dans une casserole, mélanger 500 ml (2 tasses) de bouillon de poulet avec 250 ml (1 tasse) de riz basmati rincé et égoutté, 60 ml (¼ de tasse) de persil frais haché, 10 ml (2 c. à thé) de thym frais haché, 5 ml (1 c. à thé) de romarin frais haché et 1 feuille de laurier. Saler et poivrer. Porter à ébullition, puis couvrir et cuire de 18 à 20 minutes à feu doux, jusqu'à absorption complète du liquide.

Poulet miel et bourbon

Préparation **15 minutes** • Cuisson à faible intensité **4 heures** • Quantité **4 portions**

PAR PORTION	
Calories	403
Protéines	44 g
Matières grasses	5 g
Glucides	31 g
Fibres	0 g
Fer	1 mg
Calcium	14 mg
Sodium	551 mg

1 **Bourbon**
80 ml (⅓ de tasse)

2 **Miel**
80 ml (⅓ de tasse)

3 **Ketchup**
80 ml (⅓ de tasse)

4 **Sauce soya réduite en sodium**
125 ml (½ tasse)

5 **Poulet**
4 poitrines sans peau

À l'avance

1. Dans un grand sac hermétique, mélanger le bourbon avec le miel, le ketchup, la sauce soya et les poitrines de poulet, en s'assurant que tous les aliments sont bien enrobés des ingrédients liquides. Saler et poivrer. Retirer l'air du sac et sceller.

2. Déposer le sac à plat sur une plaque. Placer au congélateur.

La veille du repas

1. Laisser décongeler le sac de poulet au réfrigérateur.

Au moment de la cuisson

1. Dans une grande mijoteuse, déposer la préparation. Couvrir et cuire de 4 à 5 heures à faible intensité, jusqu'à ce que l'intérieur de la chair du poulet ait perdu sa teinte rosée.

IDÉE POUR ACCOMPAGNER

Mini-bok choys aux noix de cajou

132 calories par portion

Dans une poêle, chauffer 15 ml (1 c. à soupe) d'huile de canola à feu moyen. Cuire 1 oignon émincé et 1 poivron rouge émincé de 1 à 2 minutes. Ajouter 20 mini-bok choys et 80 ml (⅓ de tasse) de bouillon de poulet. Saler et poivrer. Poursuivre la cuisson de 3 à 4 minutes, jusqu'à évaporation complète du liquide. Ajouter 80 ml (⅓ de tasse) de noix de cajou et remuer.

Poulet lime et coriandre

Préparation **15 minutes** • Cuisson à faible intensité **5 heures** • Quantité **4 portions**

PAR PORTION	
Calories	265
Protéines	43 g
Matières grasses	5 g
Glucides	12 g
Fibres	4 g
Fer	2 mg
Calcium	62 mg
Sodium	943 mg

1 **2 limes**
zeste et jus

2 **Coriandre fraîche**
hachée
80 ml (⅓ de tasse)

3 **Salsa douce**
1 pot de 418 ml

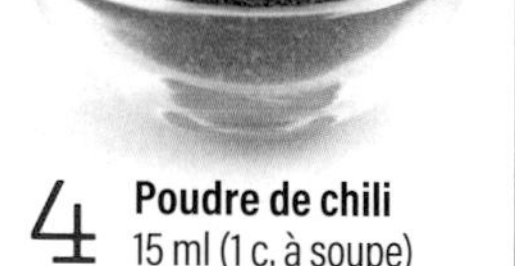

4 **Poudre de chili**
15 ml (1 c. à soupe)

5 **Poulet**
4 poitrines
sans peau

À l'avance

1. Dans un grand sac hermétique, mélanger le zeste de lime avec le jus de lime, la coriandre, la salsa, la poudre de chili et les poitrines de poulet, en s'assurant que tous les aliments sont bien enrobés des ingrédients liquides et des épices. Saler et poivrer. Retirer l'air du sac et sceller.

2. Déposer le sac à plat sur une plaque. Placer au congélateur.

La veille du repas

1. Laisser décongeler le sac de poulet au réfrigérateur.

Au moment de la cuisson

1. Dans une grande mijoteuse, déposer la préparation. Couvrir et cuire de 5 à 6 heures à faible intensité, jusqu'à ce que l'intérieur de la chair du poulet ait perdu sa teinte rosée.

2. À l'aide d'une fourchette, effilocher le poulet.

POUR VARIER

Utilisez un poisson blanc

Vous souhaitez faire changement ? Optez pour votre poisson blanc préféré ; il se mariera à merveille avec les saveurs tex-mex de ce plat. Aiglefin, tilapia, morue… autant de sortes de poisson que de façons de réinventer cette recette ! De plus, c'est une délicieuse façon de consommer plus de poisson, qui plaira même aux plus difficiles !

1 **Bouillon de légumes sans sel ajouté**
1,25 litre (5 tasses)

2 **Pommes de terre à chair jaune**
pelées et coupées en petits cubes
1 litre (4 tasses)

3 **Mélange de légumes frais pour sauce à spaghetti**
500 ml (2 tasses)

4 **Cheddar**
râpé
500 ml (2 tasses)

5 **Bacon précuit**
10 tranches coupées en morceaux

Soupe cheddar, bacon et pommes de terre

Préparation **15 minutes** • Cuisson à faible intensité **7 heures** • Quantité **6 portions**

PAR PORTION	
Calories	347
Protéines	17 g
Matières grasses	19 g
Glucides	27 g
Fibres	4 g
Fer	1 mg
Calcium	283 mg
Sodium	613 mg

À l'avance

1. Dans un ou deux grands sacs hermétiques, mélanger le bouillon avec les pommes de terre et le mélange de légumes, en s'assurant que tous les aliments sont bien enrobés de bouillon. Saler et poivrer. Retirer l'air des sacs et sceller.

2. Déposer les sacs à plat sur une plaque.

3. Dans un petit sac hermétique, déposer le cheddar. Retirer l'air du sac et sceller.

4. Dans un autre petit sac hermétique, déposer les morceaux de bacon. Retirer l'air du sac et sceller.

5. Placer la plaque et les deux petits sacs au congélateur.

La veille du repas

1. Laisser décongeler les sacs de préparation aux légumes, de cheddar et de bacon au réfrigérateur.

Au moment de la cuisson

1. Dans une grande mijoteuse, déposer la préparation aux légumes. Couvrir et cuire de 7 à 8 heures à faible intensité.

2. Ajouter le cheddar dans la mijoteuse et remuer jusqu'à ce qu'il soit fondu.

3. Transvider la préparation dans le contenant du mélangeur électrique. Mélanger 1 minute, jusqu'à l'obtention d'une préparation lisse et onctueuse.

4. Réchauffer le bacon 30 secondes au micro-ondes.

5. Répartir la soupe dans les bols et garnir de bacon.

OPTION VÉGÉ

Comment remplacer le bacon

Vous souhaitez déguster cette appétissante soupe, mais vous vous demandez comment retrouver le goût caractéristique du bacon sans consommer de viande ? L'offre de produits végé du commerce est de plus en plus grande, et il est maintenant facile de se procurer du bacon sans viande dans la plupart des supermarchés. Sinon, il est possible de faire votre propre version de bacon végé, que ce soit avec du tofu, de la noix de coco, du tempeh ou du seitan, selon votre protéine végétale préférée ! Par exemple, badigeonnez des tranches minces de tofu de tamari ou de sauce soya et de sirop d'érable, puis déposez-les une quinzaine de minutes au four à 190 °C (375 °F).

1 **Bouillon de poulet sans sel ajouté**
2 litres (8 tasses)

2 **Riz sauvage**
80 ml (⅓ de tasse)

3 **Pois chiches secs**
250 ml (1 tasse)

4 **Mélange de légumes frais pour soupe jardinière**
500 ml (2 tasses)

5 **Poulet**
2 poitrines sans peau coupées en petits cubes

Soupe aux pois chiches et riz sauvage

Préparation **15 minutes** • Cuisson à faible intensité **7 heures** • Quantité **6 portions**

PAR PORTION	
Calories	274
Protéines	26 g
Matières grasses	4 g
Glucides	34 g
Fibres	6 g
Fer	2 mg
Calcium	65 mg
Sodium	128 mg

À l'avance

1. Dans un ou deux grands sacs hermétiques, mélanger le bouillon avec le riz, les pois chiches, le mélange de légumes et les poitrines de poulet, en s'assurant que tous les aliments sont bien enrobés de bouillon. Saler et poivrer. Retirer l'air des sacs et sceller.

2. Déposer les sacs à plat sur une plaque. Placer au congélateur.

La veille du repas

1. Laisser décongeler les sacs de soupe au réfrigérateur.

Au moment de la cuisson

1. Dans une grande mijoteuse, déposer la préparation. Couvrir et cuire de 7 à 8 heures à faible intensité.

OPTION VÉGÉ

Troquez le bouillon et le poulet

Il est possible de profiter de cette réconfortante soupe même en étant végétarien ! Remplacez tout simplement le bouillon de poulet par du bouillon de légumes et les poitrines de poulet par du tofu. Ce sera tout aussi savoureux et parfait pour un jour de pluie !

1 **Sauce marinara**
625 ml (2 ½ tasses)

2 **3 demi-poivrons de couleurs variées**
émincés

3 **1 petit oignon rouge**
émincé

4 **Assaisonnements italiens**
5 ml (1 c. à thé)

5 **8 saucisses cheddar et brocoli**

Saucisses et poivrons marinara

Préparation **15 minutes** • Cuisson à faible intensité **4 heures** • Quantité **4 portions**

PAR PORTION	
Calories	372
Protéines	38 g
Matières grasses	23 g
Glucides	24 g
Fibres	6 g
Fer	3 mg
Calcium	67 mg
Sodium	1060 mg

À l'avance

1. Dans un grand sac hermétique, mélanger la sauce marinara avec les poivrons, l'oignon, les assaisonnements italiens et les saucisses, en s'assurant que tous les aliments sont bien enrobés de sauce. Saler et poivrer. Retirer l'air du sac et sceller.

2. Déposer le sac à plat sur une plaque. Placer au congélateur.

La veille du repas

1. Laisser décongeler le sac de saucisses au réfrigérateur.

Au moment de la cuisson

1. Dans une grande mijoteuse, déposer la préparation. Couvrir et cuire de 4 à 5 heures à faible intensité.

IDÉE POUR ACCOMPAGNER

Quinoa beurre et ail

216 calories par portion

Rincer 250 ml (1 tasse) de quinoa à l'eau froide. Égoutter. Dans une casserole, faire fondre 15 ml (1 c. à soupe) de beurre à feu moyen. Cuire 125 ml (½ tasse) d'échalotes sèches (françaises) hachées et 15 ml (1 c. à soupe) d'ail haché. Ajouter le quinoa et 500 ml (2 tasses) de bouillon de poulet dans la casserole. Porter à ébullition, puis couvrir et cuire de 18 à 20 minutes à feu doux, jusqu'à absorption complète du liquide. Ajouter 60 ml (¼ de tasse) de persil frais haché et remuer.

Soupe de lentilles

Préparation **15 minutes** • Cuisson à faible intensité **6 heures** • Quantité **6 portions**

PAR PORTION	
Calories	187
Protéines	11 g
Matières grasses	1 g
Glucides	35 g
Fibres	14 g
Fer	3 mg
Calcium	127 mg
Sodium	888 mg

1 **Bouillon de légumes**
1,5 litre (6 tasses)

2 **Mélange de légumes frais pour soupe jardinière**
1 sac de 624 g

3 **Tomates en dés avec assaisonnements italiens**
1 boîte de 796 ml

4 **Lentilles vertes sèches**
rincées et égouttées
250 ml (1 tasse)

5 **Poudre de cari**
15 ml (1 c. à soupe)

À l'avance

1. Dans un ou deux grands sacs hermétiques, mélanger le bouillon avec le mélange de légumes, les tomates en dés, les lentilles et la poudre de cari, en s'assurant que tous les aliments sont bien enrobés de bouillon et d'épices. Saler et poivrer. Retirer l'air des sacs et sceller.

2. Déposer les sacs à plat sur une plaque. Placer au congélateur.

La veille du repas

1. Laisser décongeler les sacs de soupe au réfrigérateur.

Au moment de la cuisson

1. Dans une grande mijoteuse, déposer la préparation. Couvrir et cuire de 6 à 7 heures à faible intensité.

TOUT SUR

Les lentilles

Bourrées de nutriments, en plus d'être hyper économiques, les lentilles sont un indispensable à avoir au garde-manger et un allié d'une saine alimentation. Riches en fibres et en protéines et rapides à cuire, elles sont un substitut délicieux et accessible à la viande hachée. De plus, elles représentent une bonne source d'acide folique, de potassium et de fer, des nutriments essentiels au bon fonctionnement du corps humain. Même si elles contiennent plus de sodium que les lentilles sèches, celles en conserve s'avèrent également un bon choix santé et sont d'ailleurs encore plus faciles à intégrer à vos repas, puisqu'elles sont déjà cuites. Il suffit de bien les rincer à l'eau froide avant utilisation.

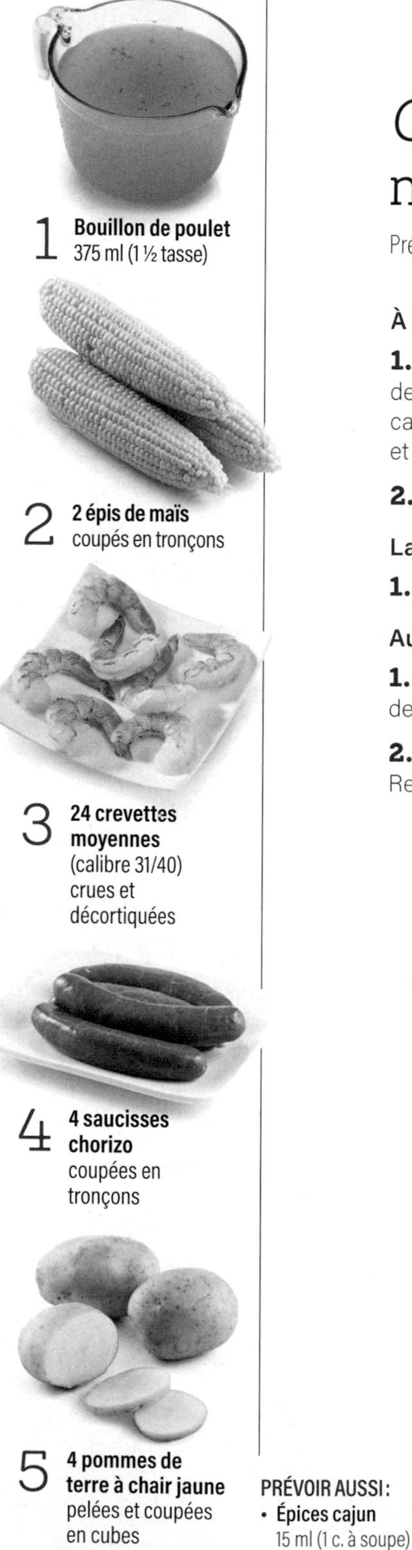

1 **Bouillon de poulet** 375 ml (1 ½ tasse)

2 **2 épis de maïs** coupés en tronçons

3 **24 crevettes moyennes** (calibre 31/40) crues et décortiquées

4 **4 saucisses chorizo** coupées en tronçons

5 **4 pommes de terre à chair jaune** pelées et coupées en cubes

PRÉVOIR AUSSI :
- **Épices cajun** 15 ml (1 c. à soupe)

PAR PORTION	
Calories	438
Protéines	33 g
Matières grasses	20 g
Glucides	31 g
Fibres	3 g
Fer	2 mg
Calcium	67 mg
Sodium	1091 mg

One pot de crevettes, maïs et saucisses

Préparation **15 minutes** • Cuisson à faible intensité **4 heures** • Quantité **4 portions**

À l'avance

1. Dans un grand sac hermétique, mélanger le bouillon avec les épis de maïs, les crevettes, les saucisses, les pommes de terre et les épices cajun, en s'assurant que tous les aliments sont bien enrobés de bouillon et d'épices. Saler et poivrer. Retirer l'air du sac et sceller.

2. Déposer le sac à plat sur une plaque. Placer au congélateur.

La veille du repas

1. Laisser décongeler le sac de crevettes et maïs au réfrigérateur.

Au moment de la cuisson

1. Dans une grande mijoteuse, déposer la préparation. Couvrir et cuire de 4 à 5 heures à faible intensité.

2. Retirer les saucisses de la mijoteuse, puis les couper en rondelles. Remettre les saucisses dans la mijoteuse.

TOUT SUR

Les crevettes

Autrefois aliment de luxe, les crevettes se sont heureusement démocratisées et sont maintenant au menu plus souvent dans bien des foyers. Et c'est tant mieux, car elles regorgent de nutriments essentiels à une bonne santé. En effet, elles sont riches en protéines, en vitamines B12 et en niacine, en plus d'être faibles en gras saturés. D'ailleurs, elles contiendraient de quatre à cinq fois moins de gras que les poitrines de poulet. Que de bonnes raisons d'en profiter ! Afin de faire votre part pour leur survie et celles des autres espèces marines, il est important de choisir des crevettes provenant de la pêche durable. Cherchez le logo de certification sur l'emballage !

PAR PORTION	
Calories	430
Protéines	40 g
Matières grasses	13 g
Glucides	29 g
Fibres	6 g
Fer	5 mg
Calcium	110 mg
Sodium	607 mg

Ragoût de bœuf

Préparation **15 minutes** • Cuisson à faible intensité **7 heures** • Quantité **4 portions**

1 **Bouillon de bœuf**
250 ml (1 tasse)

2 **Vin rouge**
125 ml (½ tasse)

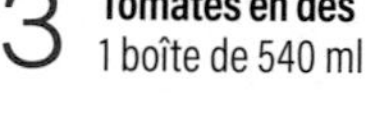

3 **Tomates en dés**
1 boîte de 540 ml

4 **Mélange de légumes surgelés pour mijoteuse**
1 sac de 750 g

5 **Bœuf**
675 g (environ 1 ½ lb) de cubes à ragoût

PRÉVOIR AUSSI :

- **Fécule de maïs**
  30 ml (2 c. à soupe)

À l'avance

1. Dans un grand sac hermétique, mélanger le bouillon avec le vin rouge, les tomates en dés, le mélange de légumes et les cubes de bœuf, en s'assurant que tous les aliments sont bien enrobés des ingrédients liquides. Saler et poivrer. Retirer l'air du sac et sceller.

2. Déposer le sac à plat sur une plaque. Placer au congélateur.

La veille du repas

1. Laisser décongeler le sac de ragoût au réfrigérateur.

Au moment de la cuisson

1. Dans une grande mijoteuse, déposer la préparation. Couvrir et cuire de 7 à 8 heures à faible intensité.

2. Environ 10 minutes avant la fin de la cuisson, délayer la fécule de maïs dans 30 ml (2 c. à soupe) d'eau dans un bol. Ajouter la fécule délayée dans la mijoteuse et remuer. Poursuivre la cuisson sans le couvercle jusqu'à ce que la sauce ait épaissi.

IDÉE POUR ACCOMPAGNER

Purée de pommes de terre au parmesan et ciboulette

279 calories par portion

Dans une casserole, déposer de 5 à 6 pommes de terre à chair jaune pelées et coupées en cubes. Couvrir d'eau froide et saler. Porter à ébullition, puis cuire de 20 à 25 minutes, jusqu'à tendreté. Égoutter. Réduire en purée avec 125 ml (½ tasse) de lait 2 % chaud et 45 ml (3 c. à soupe) de beurre fondu. Ajouter 125 ml (½ tasse) de parmesan râpé et 30 ml (2 c. à soupe) de ciboulette fraîche hachée. Saler, poivrer et remuer.

1 **Poulet**
4 poitrines sans peau

2 **Salsa douce**
500 ml (2 tasses)

3 **Macédoine de légumes surgelée**
500 ml (2 tasses)

4 **Poudre de chili**
15 ml (1 c. à soupe)

5 **Mélange de fromages râpés de type tex-mex**
375 ml (1 ½ tasse)

Poulet à la salsa

Préparation **15 minutes** • Cuisson à faible intensité **5 heures** • Quantité **4 portions**

PAR PORTION	
Calories	528
Protéines	58 g
Matières grasses	19 g
Glucides	31 g
Fibres	9 g
Fer	3 mg
Calcium	386 mg
Sodium	1321 mg

À l'avance

1. Dans une poêle, faire dorer les poitrines de poulet 5 minutes de chaque côté. Retirer du feu et laisser tiédir. Couper les poitrines en cubes.

2. Dans un grand sac hermétique, mélanger la salsa avec la macédoine de légumes, la poudre de chili et les cubes de poulet, en s'assurant que tous les aliments sont bien enrobés de salsa et d'épices. Saler et poivrer. Retirer l'air du sac et sceller.

3. Déposer le sac à plat sur une plaque.

4. Dans un petit sac hermétique, déposer le mélange de fromages râpés. Retirer l'air du sac et sceller.

5. Placer la plaque et le petit sac au congélateur.

La veille du repas

1. Laisser décongeler les sacs de poulet et de fromage au réfrigérateur.

Au moment de la cuisson

1. Dans une grande mijoteuse, déposer la préparation. Couvrir et cuire de 5 à 6 heures à faible intensité, jusqu'à ce que l'intérieur de la chair du poulet ait perdu sa teinte rosée.

2. Au moment de servir, garnir de fromage.

EN COMPLÉMENT

Lanières de tortillas au chili

161 calories par portion

Tailler 4 petites tortillas en fines lanières. Dans un bol, mélanger 30 ml (2 c. à soupe) d'huile d'olive avec 10 ml (2 c. à thé) d'assaisonnements tex-mex. Ajouter les lanières de tortillas dans le bol et remuer. Sur une plaque de cuisson tapissée de papier parchemin, étaler la préparation. Cuire au four de 10 à 12 minutes à 190 °C (375 °F) en remuant délicatement deux fois en cours de cuisson, jusqu'à ce que les lanières de tortillas soient croustillantes.

Côtelettes de porc à la Sud-Ouest

Préparation **15 minutes** • Cuisson à faible intensité **4 heures** • Quantité **4 portions**

PAR PORTION	
Calories	459
Protéines	47 g
Matières grasses	17 g
Glucides	29 g
Fibres	11 g
Fer	4 mg
Calcium	100 mg
Sodium	506 mg

1 **Porc**
4 côtelettes avec os de 180 g (environ ⅓ de lb) chacune

2 **4 tomates italiennes**
épépinées et coupées en dés

3 **1 oignon**
haché

4 **Haricots noirs**
rincés et égouttés
1 boîte de 540 ml

5 **Assaisonnements tex-mex**
15 ml (1 c. à soupe)

PRÉVOIR AUSSI :
- **Bouillon de poulet**
  250 ml (1 tasse)

À l'avance

1. Dans une poêle, faire dorer les côtelettes de 2 à 3 minutes de chaque côté. Retirer du feu et laisser tiédir.

2. Dans un grand sac hermétique, mélanger les tomates avec le bouillon, l'oignon, les haricots noirs, les assaisonnements tex-mex et les côtelettes de porc, en s'assurant que tous les aliments sont bien enrobés de bouillon et d'assaisonnements. Saler et poivrer. Retirer l'air du sac et sceller.

3. Déposer le sac à plat sur une plaque. Placer au congélateur.

La veille du repas

1. Laisser décongeler le sac de côtelettes de porc au réfrigérateur.

Au moment de la cuisson

1. Dans une grande mijoteuse, déposer la préparation. Couvrir et cuire de 4 à 5 heures à faible intensité.

IDÉE POUR ACCOMPAGNER

Riz au cumin

94 calories par portion

Dans une casserole, chauffer 15 ml (1 c. à soupe) d'huile d'olive à feu moyen. Ajouter 500 ml (2 tasses) de bouillon de légumes, 250 ml (1 tasse) de riz basmati rincé et égoutté, 5 ml (1 c. à thé) de cumin, 2,5 ml (½ c. à thé) de chipotle et 1 feuille de laurier dans la casserole. Porter à ébullition, puis couvrir et laisser mijoter de 18 à 20 minutes à feu doux.

1 **4 saucisses italiennes douces**

2 **Bouillon de poulet**
1,25 litre (5 tasses)

3 **Tomates en dés avec assaisonnements italiens**
1 boîte de 796 ml

4 **Tortellinis au fromage surgelés**
1 sac de 350 g

5 **Bébés épinards**
500 ml (2 tasses)

Soupe aux tortellinis et saucisses

Préparation **15 minutes** • Cuisson à faible intensité **3 heures** • Quantité **6 portions**

PAR PORTION	
Calories	385
Protéines	20 g
Matières grasses	18 g
Glucides	38 g
Fibres	3 g
Fer	3 mg
Calcium	159 mg
Sodium	997 mg

À l'avance

1. Retirer la membrane des saucisses et défaire la chair en morceaux.

2. Dans une poêle, chauffer un peu d'huile d'olive à feu moyen. Cuire la chair de saucisses de 4 à 5 minutes. Retirer du feu et laisser tiédir.

3. Dans un ou deux grands sacs hermétiques, mélanger le bouillon avec les tomates en dés, la chair de saucisses et les tortellinis, en s'assurant que tous les aliments sont bien enrobés des ingrédients liquides. Saler et poivrer. Retirer l'air des sacs et sceller.

4. Déposer les sacs à plat sur une plaque. Placer au congélateur.

La veille du repas

1. Laisser décongeler les sacs de soupe au réfrigérateur.

Au moment de la cuisson

1. Dans une grande mijoteuse, déposer la préparation. Couvrir et cuire de 3 à 4 heures à faible intensité, jusqu'à ce que les tortellinis soient *al dente*.

2. Ajouter les épinards et remuer.

POUR VARIER

Changez la variété de saucisses

Bien que les saucisses italiennes douces soient toujours un choix gagnant, cette délicieuse soupe serait tout aussi savoureuse avec une autre sorte de saucisses. Laissez-vous inspirer à votre prochaine visite à l'épicerie ou chez le boucher pour dénicher de nouvelles saveurs qui se marieront à merveille avec les notes de tomates et d'assaisonnements italiens de ce mets des plus réconfortants.

PAR PORTION	
Calories	351
Protéines	26 g
Matières grasses	5 g
Glucides	49 g
Fibres	4 g
Fer	4 mg
Calcium	48 mg
Sodium	837 mg

Porc barbecue

Préparation **15 minutes** • Cuisson à faible intensité **6 heures** • Quantité **6 portions**

1 **Sauce barbecue** du commerce 500 ml (2 tasses)

2 **Choux de Bruxelles** coupés en deux 450 g (1 lb)

3 **Paprika fumé doux** 15 ml (1 c. à soupe)

4 **1 petit oignon rouge** coupé en dés

5 **Porc** 675 g (environ 1 ½ lb) de cubes à ragoût

PRÉVOIR AUSSI :
- **Bouillon de poulet** 125 ml (½ tasse)

À l'avance

1. Dans un grand sac hermétique, mélanger la sauce barbecue avec les choux de Bruxelles, le paprika, l'oignon, les cubes de porc et le bouillon, en s'assurant que tous les aliments sont bien enrobés des ingrédients liquides et des épices. Saler et poivrer. Retirer l'air du sac et sceller.

2. Déposer le sac à plat sur une plaque. Placer au congélateur.

La veille du repas

1. Laisser décongeler le sac de porc barbecue au réfrigérateur.

Au moment de la cuisson

1. Dans une grande mijoteuse, déposer la préparation. Couvrir et cuire de 6 à 7 heures à faible intensité.

VERSION MAISON

Sauce barbecue

Dans une casserole, mélanger 125 ml (½ tasse) de ketchup avec 125 ml (½ tasse) de sauce chili, 125 ml (½ tasse) de bière blonde, 60 ml (¼ de tasse) de cassonade, 30 ml (2 c. à soupe) de mélasse, 30 ml (2 c. à soupe) de vinaigre de cidre, 15 ml (1 c. à soupe) de paprika fumé doux et 10 ml (2 c. à thé) de moutarde en poudre. Porter à ébullition à feu moyen, puis laisser mijoter de 12 à 15 minutes à feu doux-moyen.

1 **Bouillon de poulet**
310 ml (1 ¼ tasse)

2 **Haricots blancs**
rincés et égouttés
1 boîte de 540 ml

3 **Mélange de légumes frais pour sauce à spaghetti**
500 ml (2 tasses)

4 **Chou de Savoie**
émincé
500 ml (2 tasses)

5 **Saucisses de Toulouse**
450 g (1 lb)

Mijoté de saucisses et haricots

Préparation **15 minutes** • Cuisson à faible intensité **4 heures** • Quantité **6 portions**

PAR PORTION	
Calories	371
Protéines	23 g
Matières grasses	20 g
Glucides	27 g
Fibres	7 g
Fer	3 mg
Calcium	66 mg
Sodium	761 mg

À l'avance

1. Dans un grand sac hermétique, mélanger le bouillon avec les haricots, le mélange de légumes, le chou et les saucisses, en s'assurant que tous les aliments sont bien enrobés de bouillon. Saler et poivrer. Retirer l'air du sac et sceller.

2. Déposer le sac à plat sur une plaque. Placer au congélateur.

La veille du repas

1. Laisser décongeler le sac de mijoté au réfrigérateur.

Au moment de la cuisson

1. Dans une grande mijoteuse, déposer la préparation. Couvrir et cuire de 4 à 5 heures à faible intensité.

OPTION SANTÉ

Précieux haricots

Membres de la grande famille des légumineuses, les haricots sont un aliment à privilégier dans la recherche d'une alimentation saine. Hyper nutritifs et rassasiants, tout en étant économiques, ils sont en plus super polyvalents. On peut les intégrer à une multitude de plats tels que soupes, chilis et salades pour un ajout de vitamines instantané. De plus, ils sont riches en fibres, en protéines et en minéraux tels que l'acide folique, le potassium et le fer. Pensez à les mettre au menu plus souvent !

PAR PORTION	
Calories	352
Protéines	52 g
Matières grasses	5 g
Glucides	21 g
Fibres	2 g
Fer	3 mg
Calcium	39 mg
Sodium	708 mg

Rôti de porc à la ranch

Préparation **15 minutes** • Cuisson à faible intensité **8 heures** • Quantité **6 portions**

1 **Mélange pour vinaigrettes et trempettes ranch**
1 sachet de 28 g

2 **3 carottes**
coupées en rondelles

3 **4 pommes de terre**
pelées et coupées en petits cubes

4 **1 oignon**
haché

5 **Porc**
1,25 kg (2 ¾ lb) de rôti de palette désossé

PRÉVOIR AUSSI :
- **Bouillon de poulet**
  375 ml (1 ½ tasse)

À l'avance

1. Dans un grand sac hermétique, mélanger le bouillon avec le mélange pour vinaigrettes et trempettes, les carottes, les pommes de terre, l'oignon et le rôti de porc, en s'assurant que tous les aliments sont bien enrobés de bouillon et d'épices. Saler et poivrer. Retirer l'air du sac et sceller.

2. Déposer le sac à plat sur une plaque. Placer au congélateur.

La veille du repas

1. Laisser décongeler le sac de rôti au réfrigérateur.

Au moment de la cuisson

1. Dans une grande mijoteuse, déposer la préparation. Couvrir et cuire de 8 à 9 heures à faible intensité, jusqu'à ce que la viande soit tendre.

POUR VARIER

Délicieux légumes-racines

Il est possible de changer les carottes de cette recette contre d'autres variétés de légumes-racines pour un repas différent, mais tout aussi satisfaisant. Que vous optiez pour des navets, des panais ou un heureux mélange des deux, ce sera savoureux !

PAR PORTION	
Calories	345
Protéines	21 g
Matières grasses	16 g
Glucides	27 g
Fibres	3 g
Fer	3 mg
Calcium	151 mg
Sodium	1177 mg

Soupe cheeseburger

Préparation **15 minutes** • Cuisson à faible intensité **5 heures**
Cuisson à intensité élevée **15 minutes** • Quantité **6 portions**

1 **Bœuf haché maigre** 450 g (1 lb)

2 **Bouillon de bœuf** 1 litre (4 tasses)

3 **Tomates en dés** 1 boîte de 540 ml

4 **4 pommes de terre à chair jaune** pelées et coupées en cubes

5 **Tartinade au fromage fondu** de type Le petit crémeux ½ pot de 400 g

PRÉVOIR AUSSI :
- **1 oignon** haché
- **Fécule de maïs** 30 ml (2 c. à soupe)

À l'avance

1. Dans une poêle, chauffer un peu d'huile d'olive à feu moyen. Cuire le bœuf haché de 5 à 7 minutes en égrainant la viande à l'aide d'une cuillère en bois, jusqu'à ce qu'elle ait perdu sa teinte rosée. Retirer du feu et laisser tiédir.

2. Dans un grand sac hermétique, mélanger le bouillon avec les tomates en dés, les pommes de terre, l'oignon et le bœuf haché, en s'assurant que tous les aliments sont bien enrobés des ingrédients liquides. Saler et poivrer. Retirer l'air du sac et sceller.

3. Déposer le sac à plat sur une plaque. Placer au congélateur.

La veille du repas

1. Laisser décongeler le sac de soupe au réfrigérateur.

Au moment de la cuisson

1. Dans une grande mijoteuse, déposer la préparation. Couvrir et cuire de 5 à 6 heures à faible intensité.

2. Dans un bol, délayer la fécule de maïs dans un peu d'eau froide.

3. Ajouter la tartinade de fromage fondu et la fécule délayée dans la mijoteuse. Remuer. Couvrir et poursuivre la cuisson de 15 à 20 minutes à intensité élevée en remuant de temps en temps, jusqu'à épaississement.

EN COMPLÉMENT

Salsa hamburger

79 calories par portion

Couper en dés 2 tomates italiennes épépinées, 1 petit oignon rouge et 1 cornichon. Dans un bol, mélanger les ingrédients avec 30 ml (2 c. à soupe) d'huile d'olive. Réchauffer au micro-ondes 4 tranches de bacon précuit 30 secondes, jusqu'à ce qu'il soit croustillant. Casser le bacon en petits morceaux et l'ajouter dans le bol. Remuer.

SACS À CONGELER :
SUR LA PLAQUE

Ah, les repas sur la plaque ! C'est tellement savoureux et facile à préparer ! Imaginez si, en plus, vous n'avez qu'à décongeler un sac d'aliments prêts à cuire, puis à les enfourner pour en profiter. Un charme !

Pilons de poulet aux herbes de Provence

Préparation **15 minutes** • Cuisson **35 minutes** • Quantité **4 portions**

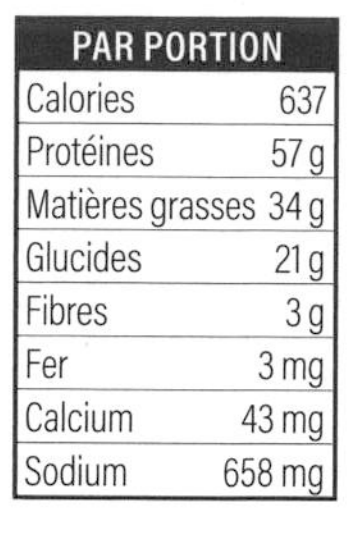

PAR PORTION	
Calories	637
Protéines	57 g
Matières grasses	34 g
Glucides	21 g
Fibres	3 g
Fer	3 mg
Calcium	43 mg
Sodium	658 mg

1 **Vinaigrette italienne**
125 ml (½ tasse)

2 **Herbes de Provence**
5 ml (1 c. à thé)

3 **3 à 4 carottes**
coupées en rondelles

4 **12 à 15 pommes de terre grelots**
coupées en deux

5 **Poulet**
12 pilons avec la peau

À l'avance

1. Dans un grand sac hermétique, mélanger la vinaigrette avec les herbes de Provence, les carottes, les pommes de terre grelots et les pilons de poulet, en s'assurant que tous les ingrédients sont bien enrobés de marinade. Retirer l'air du sac et sceller.

2. Déposer le sac à plat sur une plaque. Placer au congélateur.

La veille du repas

1. Laisser décongeler le sac au réfrigérateur.

Au moment du repas

1. Préchauffer le four à 205 °C (400 °F).

2. Sur une plaque de cuisson tapissée de papier parchemin, étaler la préparation au poulet. Cuire au four de 35 à 40 minutes, jusqu'à ce que l'intérieur de la chair du poulet ait perdu sa teinte rosée.

1 **Vinaigre de cidre**
30 ml (2 c. à soupe)

2 **Poudre de chili**
30 ml (2 c. à soupe)

3 **12 à 15 pommes de terre grelots**
coupées en deux

4 **3 demi-poivrons de couleurs variées**
coupés en dés

5 **Poulet**
4 petites poitrines sans peau

PRÉVOIR AUSSI :
- **Persil frais**
  haché
  80 ml (⅓ de tasse)

PAR PORTION	
Calories	309
Protéines	44 g
Matières grasses	5 g
Glucides	18 g
Fibres	4 g
Fer	2 mg
Calcium	33 mg
Sodium	196 mg

Poulet à la Sud-Ouest

Préparation **15 minutes** • Cuisson **25 minutes** • Quantité **4 portions**

À l'avance

1. Dans un grand sac hermétique, mélanger le vinaigre de cidre avec la poudre de chili, les pommes de terre grelots, les poivrons, le persil et les poitrines de poulet, en s'assurant que tous les ingrédients sont bien enrobés de marinade. Saler et poivrer. Retirer l'air du sac et sceller.

2. Déposer le sac à plat sur une plaque. Placer au congélateur.

La veille du repas

1. Laisser décongeler le sac au réfrigérateur.

Au moment du repas

1. Préchauffer le four à 205 °C (400 °F).

2. Sur une plaque de cuisson tapissée de papier parchemin, étaler la préparation au poulet. Cuire au four de 25 à 30 minutes, jusqu'à ce que l'intérieur de la chair du poulet ait perdu sa teinte rosée.

EN COMPLÉMENT

Sauce barbecue au porto

121 calories par portion

Dans un petit sac hermétique, mélanger 160 ml (⅔ de tasse) de sauce barbecue avec 80 ml (⅓ de tasse) de porto rouge et 60 ml (¼ de tasse) d'échalotes sèches (françaises) hachées. Retirer l'air du sac et sceller. Déposer le sac à plat sur la plaque avec le poulet. Placer au congélateur. La veille du repas, laisser décongeler le sac au réfrigérateur. Au moment du repas, verser la sauce dans une petite casserole. Porter à ébullition, puis laisser mijoter 3 minutes à feu doux.

1 **Porc**
600 g (environ 1 ⅓ lb) de filet

2 **Vinaigrette méditerranéenne**
80 ml (⅓ de tasse)

3 **Herbes italiennes séchées**
30 ml (2 c. à soupe)

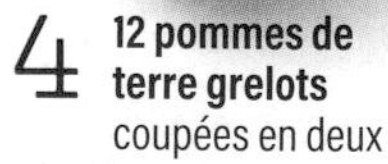

4 **12 pommes de terre grelots**
coupées en deux

5 **Mini-carottes**
500 ml (2 tasses)

Filet de porc miel et herbes

Préparation **15 minutes** • Cuisson **30 minutes** • Quantité **4 portions**

PAR PORTION	
Calories	279
Protéines	36 g
Matières grasses	6 g
Glucides	17 g
Fibres	3 g
Fer	3 mg
Calcium	28 mg
Sodium	324 mg

À l'avance

1. Parer le filet de porc en retirant la membrane blanche.

2. Dans un grand sac hermétique, mélanger la vinaigrette avec les herbes italiennes, le filet de porc, les pommes de terre grelots et les mini-carottes, en s'assurant que tous les ingrédients sont bien enrobés de marinade. Saler et poivrer. Retirer l'air du sac et sceller.

3. Déposer le sac à plat sur une plaque. Placer au congélateur.

La veille du repas

1. Laisser décongeler le sac au réfrigérateur.

Au moment du repas

1. Préchauffer le four à 205 °C (400 °F).

2. Sur une plaque de cuisson tapissée de papier parchemin, étaler la préparation au porc. Cuire au four de 30 à 35 minutes.

3. Retirer du four et déposer le filet de porc dans une assiette. Couvrir d'une feuille de papier d'aluminium, sans serrer. Laisser reposer 5 minutes avant de trancher.

PAR PORTION	
Calories	280
Protéines	40 g
Matières grasses	4 g
Glucides	19 g
Fibres	4 g
Fer	2 mg
Calcium	93 mg
Sodium	314 mg

Poitrines de poulet à l'asiatique

Préparation **15 minutes** • Cuisson **25 minutes** • Quantité **4 portions**

1 **Sauce teriyaki à marinade**
125 ml (½ tasse)

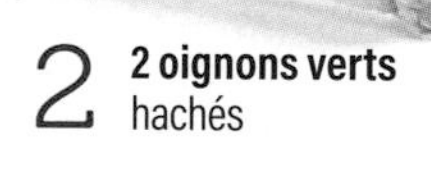

2 **2 oignons verts**
hachés

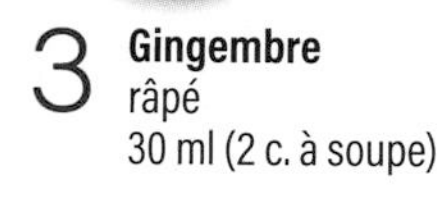

3 **Gingembre**
râpé
30 ml (2 c. à soupe)

4 **Poulet**
4 petites poitrines sans peau

5 **Mélange de légumes surgelés de style asiatique**
1 sac de 600 g

À l'avance

1. Dans un grand sac hermétique, mélanger la sauce teriyaki avec les oignons verts, le gingembre et les poitrines de poulet. Saler et poivrer. Ajouter le mélange de légumes. Mélanger en s'assurant que tous les ingrédients sont bien enrobés de marinade. Retirer l'air du sac et sceller.

2. Déposer le sac à plat sur une plaque. Placer au congélateur.

La veille du repas

1. Laisser décongeler le sac au réfrigérateur.

Au moment du repas

1. Préchauffer le four à 205 °C (400 °F).

2. Sur une plaque de cuisson tapissée de papier parchemin, étaler la préparation au poulet. Cuire au four de 25 à 30 minutes, jusqu'à ce que l'intérieur de la chair du poulet ait perdu sa teinte rosée.

POUR VARIER

Essayez avec des vermicelles

Profitez du temps de cuisson pour préparer un accompagnement de riz ou réhydrater des vermicelles de riz. Ce sera parfait avec ces poitrines de poulet aux saveurs asiatiques !

PAR PORTION	
Calories	308
Protéines	37 g
Matières grasses	16 g
Glucides	4 g
Fibres	1 g
Fer	2 mg
Calcium	31 mg
Sodium	263 mg

Côtelettes de porc sur la plaque

Préparation **15 minutes** • Cuisson **25 minutes** • Quantité **4 portions**

1 **Beurre** fondu 60 ml (¼ de tasse)

2 **Épices cajun** 22,5 ml (1 ½ c. à soupe)

3 **Ail** haché 15 ml (1 c. à soupe)

4 **Porc** 4 côtelettes de 150 g (⅓ de lb) chacune

5 **2 courgettes** coupées en demi-rondelles

À l'avance

1. Dans un grand sac hermétique, mélanger le beurre fondu avec les épices cajun, l'ail, les côtelettes de porc et les courgettes, en s'assurant que tous les ingrédients sont bien enrobés de marinade. Saler et poivrer. Retirer l'air du sac et sceller.

2. Déposer le sac à plat sur une plaque. Placer au congélateur.

La veille du repas

1. Laisser décongeler le sac au réfrigérateur.

Au moment du repas

1. Préchauffer le four à 205 °C (400 °F).

2. Sur une plaque de cuisson tapissée de papier parchemin, étaler les côtelettes de porc et les courgettes. Cuire au four de 25 à 30 minutes, en retournant les côtelettes à mi-cuisson.

POUR VARIER

Servez avec du riz !

Pour faire changement ou simplement pour servir l'accompagnement préféré de votre famille, ces côtelettes de porc seraient tout aussi bonnes avec du riz.

1 **2 limes** zeste et jus

2 **Coriandre fraîche** hachée 30 ml (2 c. à soupe)

3 **Tilapia** 4 filets de 150 g (⅓ de lb) chacun

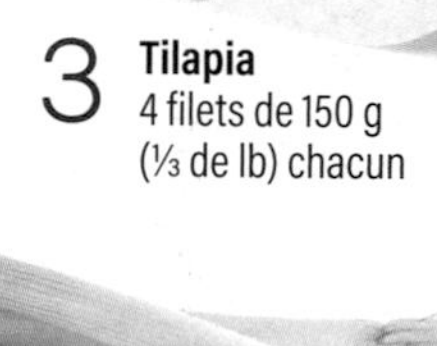

4 **3 oignons verts** coupés en tronçons

5 **12 mini-bok choys**

PAR PORTION	
Calories	168
Protéines	32 g
Matières grasses	3 g
Glucides	6 g
Fibres	2 g
Fer	2 mg
Calcium	114 mg
Sodium	130 mg

Tilapia à la lime

Préparation **15 minutes** • Cuisson **18 minutes** • Quantité **4 portions**

À l'avance

1. Dans un grand sac hermétique, mélanger le zeste et le jus de lime avec la coriandre, un peu d'huile de sésame et les filets de tilapia, en s'assurant que tous les ingrédients sont bien enrobés de marinade. Saler et poivrer. Retirer l'air du sac et sceller.

2. Dans un autre sac hermétique, mélanger les oignons verts avec les mini-bok choys et un peu d'huile de sésame. Saler et poivrer. Retirer l'air du sac et sceller.

3. Déposer les sacs à plat sur une ou deux plaques. Placer au congélateur.

La veille du repas

1. Laisser décongeler les sacs au réfrigérateur.

Au moment du repas

1. Préchauffer le four à 205 °C (400 °F).

2. Sur une ou deux plaques de cuisson tapissées de papier parchemin, étaler la préparation au poisson et la préparation aux légumes. Cuire au four de 18 à 20 minutes.

TOUT SUR

Le bok choy

Légume phare de la cuisine asiatique, le bok choy est assez peu cuisiné dans nos maisons. Il est pourtant à découvrir, notamment en raison de son goût délicieux et de ses nombreux bénéfices pour la santé. Le bok choy fait partie de la famille des brassicacées, tout comme le brocoli et le chou-fleur. On adore sa texture croquante et sa saveur délicate, qui relèvent à merveille les sautés. On savoure autant sa tige que ses feuilles et il se mange cru ou cuit. Excellente source d'antioxydants ainsi que de vitamines A et K, le bok choy est également l'un des légumes les plus riches en calcium. De plus, il renferme une grande quantité de vitamine C et de vitamines du groupe B, du potassium et du fer. Une belle découverte !

PAR PORTION	
Calories	378
Protéines	35 g
Matières grasses	23 g
Glucides	7 g
Fibres	2 g
Fer	2 mg
Calcium	114 mg
Sodium	246 mg

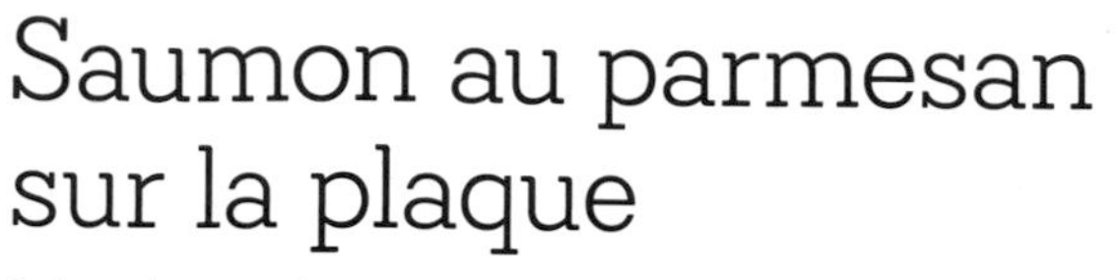

Saumon au parmesan sur la plaque

Préparation **15 minutes** • Cuisson **18 minutes** • Quantité **4 portions**

1 **Saumon**
4 filets de 150 g (⅓ de lb) chacun, la peau enlevée

2 **Ail**
haché
15 ml (1 c. à soupe)

3 **16 tomates cerises**

4 **Asperges**
coupées en tronçons
300 g (⅔ de lb)

5 **Parmesan**
râpé
80 ml (⅓ de tasse)

À l'avance

1. Dans un grand sac hermétique, mélanger les filets de saumon avec l'ail, les tomates cerises, les asperges et un peu d'huile d'olive, en s'assurant que tous les ingrédients sont bien enrobés de marinade. Saler et poivrer. Retirer l'air du sac et sceller.

2. Déposer le sac à plat sur une plaque. Placer au congélateur.

La veille du repas

1. Laisser décongeler le sac au réfrigérateur.

Au moment du repas

1. Préchauffer le four à 205 °C (400 °F).

2. Sur une plaque de cuisson tapissée de papier parchemin, déposer les filets de saumon. Garnir de parmesan. Étaler la préparation aux légumes sur la plaque. Cuire au four de 18 à 20 minutes.

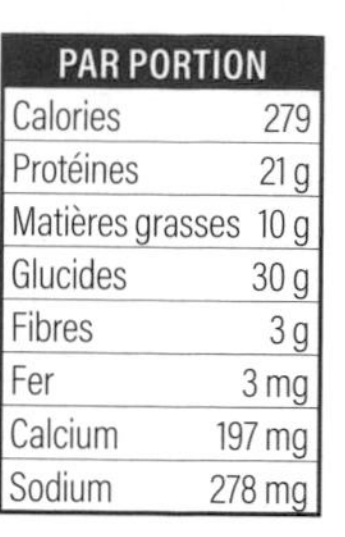

PAR PORTION	
Calories	279
Protéines	21 g
Matières grasses	10 g
Glucides	30 g
Fibres	3 g
Fer	3 mg
Calcium	197 mg
Sodium	278 mg

Tofu barbecue sur la plaque

Préparation **15 minutes** • Cuisson **25 minutes** • Quantité **4 portions**

1 **Sauce barbecue** 125 ml (½ tasse)

2 **Tofu ferme** coupé en triangles 1 bloc de 454 g

3 **3 demi-poivrons de couleurs variées** émincés

4 **2 petites courgettes** coupées en demi-rondelles

5 **1 petit oignon rouge** émincé

À l'avance

1. Dans un grand sac hermétique, mélanger la sauce barbecue avec le tofu, les poivrons, les courgettes et l'oignon rouge, en s'assurant que tous les ingrédients sont bien enrobés de marinade. Saler et poivrer. Retirer l'air du sac et sceller.

2. Déposer le sac à plat sur une plaque. Placer au congélateur.

La veille du repas

1. Laisser décongeler le sac au réfrigérateur.

Au moment du repas

1. Préchauffer le four à 205 °C (400 °F).

2. Sur une ou deux plaques de cuisson tapissées de papier parchemin, déposer les tranches de tofu et étaler la préparation aux légumes. Cuire au four de 25 à 30 minutes, en retournant les tranches de tofu à mi-cuisson.

POUR VARIER

Utilisez de la vinaigrette à salade

Pour renouveler cette plaque végétarienne, remplacez la sauce barbecue par votre vinaigrette favorite. Faites votre choix parmi la grande sélection en épicerie. Les vinaigrettes Catalina, tomates confites et origan ou miel et moutarde seraient parfaites, mais n'hésitez pas à laisser aller votre imagination et à faire vos propres essais !

1 **Miel**
60 ml (¼ de tasse)

2 **Moutarde à l'ancienne**
45 ml (3 c. à soupe)

3 **4 pommes de terre**
coupées en quartiers

4 **Asperges**
coupées en tronçons
300 g (⅔ de lb)

5 **Poulet**
4 petites poitrines sans peau

Poitrines de poulet miel et moutarde

Préparation **15 minutes** • Cuisson **25 minutes** • Quantité **4 portions**

PAR PORTION	
Calories	367
Protéines	38 g
Matières grasses	5 g
Glucides	40 g
Fibres	3 g
Fer	3 mg
Calcium	40 mg
Sodium	305 mg

À l'avance

1. Dans un grand sac hermétique, mélanger le miel avec la moutarde, un peu d'huile d'olive, les quartiers de pommes de terre, les asperges et les poitrines de poulet, en s'assurant que tous les ingrédients sont bien enrobés de marinade. Saler et poivrer. Retirer l'air du sac et sceller.

2. Déposer le sac à plat sur une plaque. Placer au congélateur.

La veille du repas

1. Laisser décongeler le sac au réfrigérateur.

Au moment du repas

1. Préchauffer le four à 205 °C (400 °F).

2. Sur une plaque de cuisson tapissée de papier parchemin, étaler la préparation au poulet. Cuire au four de 25 à 30 minutes en remuant à mi-cuisson, jusqu'à ce que l'intérieur de la chair du poulet ait perdu sa teinte rosée et que les pommes de terre soient tendres.

OPTION VÉGÉ

Optez pour le tofu

Il est possible de transformer facilement ce repas en festin végétarien. Vous n'avez qu'à remplacer les poitrines de poulet par un bloc de tofu extra-ferme coupé en lanières et le tour est joué !

1 **Vinaigrette aux tomates séchées** du commerce
125 ml (½ tasse)

2 **16 tomates cerises**

3 **3 demi-poivrons de couleurs variées** coupés en lanières

4 **Halloumi (fromage à griller)** coupé en petits cubes
200 g (environ ½ lb)

5 **Saucisses italiennes douces**
450 g (1 lb)

Plaque de saucisses et légumes

Préparation **15 minutes** • Cuisson **25 minutes** • Quantité **4 portions**

PAR PORTION	
Calories	542
Protéines	26 g
Matières grasses	43 g
Glucides	17 g
Fibres	3 g
Fer	2 mg
Calcium	294 mg
Sodium	1623 mg

À l'avance

1. Dans un grand sac hermétique, mélanger la vinaigrette aux tomates séchées avec les tomates cerises, les poivrons, le halloumi et les saucisses, en s'assurant que tous les ingrédients sont bien enrobés de marinade. Saler et poivrer. Retirer l'air du sac et sceller.

2. Déposer le sac à plat sur une plaque. Placer au congélateur.

La veille du repas

1. Laisser décongeler le sac au réfrigérateur.

Au moment du repas

1. Préchauffer le four à 205 °C (400 °F).

2. Sur une plaque de cuisson tapissée de papier parchemin, étaler la préparation aux saucisses. Cuire au four de 23 à 28 minutes.

3. Régler le four à la position « gril » (*broil*) et poursuivre la cuisson de 2 à 3 minutes, jusqu'à ce que le halloumi soit doré.

VERSION MAISON

Vinaigrette aux tomates séchées

Dans un bol, mélanger 30 ml (2 c. à soupe) de tomates séchées hachées avec 30 ml (2 c. à soupe) d'échalote sèche (française) hachée, 30 ml (2 c. à soupe) de vinaigre de vin rouge, 5 ml (1 c. à thé) de miel, 60 ml (¼ de tasse) d'huile d'olive, 5 ml (1 c. à thé) d'ail haché et 5 ml (1 c. à thé) d'herbes italiennes séchées. Saler et poivrer.

1 **Vinaigrette à la grecque** 125 ml (½ tasse)

2 **Pois chiches** rincés et égouttés 2 boîtes de 540 ml chacune

3 **3 demi-poivrons de couleurs variées** coupés en cubes

4 **Feta** coupée en dés 1 contenant de 200 g

5 **Tomates séchées** émincées 80 ml (⅓ de tasse)

FACULTATIF :
- **16 olives Kalamata dénoyautées**

Plaque de pois chiches à la grecque

Préparation **15 minutes** • Cuisson **25 minutes** • Quantité **6 portions**

PAR PORTION	
Calories	363
Protéines	13 g
Matières grasses	20 g
Glucides	34 g
Fibres	8 g
Fer	2 mg
Calcium	217 mg
Sodium	905 mg

À l'avance

1. Dans un grand sac hermétique, mélanger la vinaigrette avec les pois chiches, les poivrons, la feta, les tomates séchées et, si désiré, les olives, en s'assurant que tous les ingrédients sont bien enrobés de marinade. Saler et poivrer. Retirer l'air du sac et sceller.

2. Déposer le sac à plat sur une plaque. Placer au congélateur.

La veille du repas

1. Laisser décongeler le sac au réfrigérateur.

Au moment du repas

1. Préchauffer le four à 205 °C (400 °F).

2. Sur une plaque de cuisson tapissée de papier parchemin, étaler la préparation aux pois chiches. Cuire au four de 25 à 30 minutes, en remuant à mi-cuisson.

POUR VARIER

Changez pour des tomates cerises

Vous n'avez pas de tomates séchées à la maison ? Vous pouvez tout simplement les remplacer par de juteuses tomates cerises, qui se marieront à merveille aux arômes méditerranéens de ce souper tout-en-un. En plus, sous l'effet de la chaleur, les tomates éclateront agréablement sous la dent et donneront une tout autre saveur au plat !

1 **Sauce sucrée aux piments chili**
160 ml (⅔ de tasse)

2 **Pois sucrés**
150 g (⅓ de lb)

3 **Brocoli**
coupé en bouquets
500 ml (2 tasses)

4 **8 shiitakes**
émincés

5 **Boulettes de poulet précuites**
1 paquet de 345 g

Boulettes de viande thaïes

Préparation **15 minutes** • Cuisson **20 minutes** • Quantité **4 portions**

PAR PORTION	
Calories	421
Protéines	24 g
Matières grasses	11 g
Glucides	51 g
Fibres	11 g
Fer	79 mg
Calcium	226 mg
Sodium	1055 mg

À l'avance

1. Dans un grand sac hermétique, mélanger la sauce sucrée aux piments chili avec les pois sucrés, le brocoli, les shiitakes et les boulettes, en s'assurant que tous les ingrédients sont bien enrobés de marinade. Saler et poivrer. Retirer l'air du sac et sceller.

2. Déposer le sac à plat sur une plaque. Placer au congélateur.

La veille du repas

1. Laisser décongeler le sac au réfrigérateur.

Au moment du repas

1. Préchauffer le four à 205 °C (400 °F).

2. Sur une plaque de cuisson tapissée de papier parchemin, étaler la préparation aux boulettes. Cuire au four de 20 à 25 minutes, en remuant à mi-cuisson.

IDÉE POUR ACCOMPAGNER

Vermicelles de riz lime et coriandre

189 calories par portion

Réhydrater 200 g (environ ½ lb) de vermicelles de riz selon les indications de l'emballage. Égoutter. Dans une poêle, porter à ébullition 80 ml (⅓ de tasse) de bouillon de poulet avec 15 ml (1 c. à soupe) de gingembre haché ainsi que le zeste et le jus de 1 lime. Ajouter les vermicelles de riz égouttés et la coriandre. Chauffer de 1 à 2 minutes en remuant.

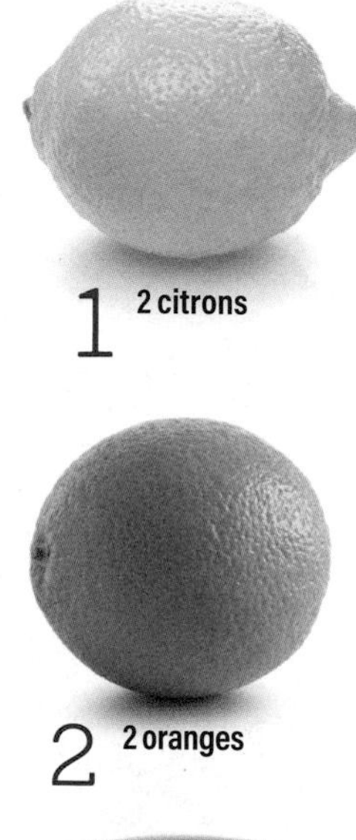

1 **2 citrons**

2 **2 oranges**

3 **Marmelade d'orange et gingembre**
125 ml (½ tasse)

4 **1 courge Butternut**
coupée en cubes

5 **Poulet**
4 cuisses avec la peau

Cuisses de poulet aux agrumes

Préparation **15 minutes** • Cuisson **40 minutes** • Quantité **4 portions**

PAR PORTION	
Calories	398
Protéines	33 g
Matières grasses	7 g
Glucides	58 g
Fibres	12 g
Fer	5 mg
Calcium	220 mg
Sodium	139 mg

À l'avance

1. Presser un citron et une orange au-dessus d'un bol. Couper le citron et l'orange restants en rondelles.

2. Dans un grand sac hermétique, mélanger le jus des agrumes avec les rondelles d'agrumes, la marmelade, un peu d'huile d'olive, la courge Butternut et les cuisses de poulet, en s'assurant que tous les ingrédients sont bien enrobés de marinade. Saler et poivrer. Retirer l'air du sac et sceller.

3. Déposer le sac à plat sur une plaque. Placer au congélateur.

La veille du repas

1. Laisser décongeler le sac au réfrigérateur.

Au moment du repas

1. Préchauffer le four à 205 °C (400 °F).

2. Sur une plaque de cuisson tapissée de papier parchemin, étaler la préparation au poulet. Déposer les rondelles d'agrumes sur les cuisses de poulet. Cuire au four de 40 à 45 minutes en retournant les cubes de courge à mi-cuisson, jusqu'à ce que l'intérieur de la chair du poulet ait perdu sa teinte rosée.

OPTION SANTÉ

Exceptionnelle racine de gingembre

Considéré comme un superaliment, le gingembre est un rhizome aux mille vertus appartenant à la même famille que le curcuma. Il renferme une énorme quantité de nutriments, notamment des antioxydants reconnus comme étant des agents de protection contre diverses maladies, tels certains cancers et maladies cardio-vasculaires. De plus, le gingembre contient une grande concentration de sels minéraux, dont le calcium, le magnésium et le potassium. Finalement, il est couramment utilisé dans le soulagement des troubles digestifs et a des qualités anti-inflammatoires.

1 **Gnocchis**
500 g (environ 1 lb)

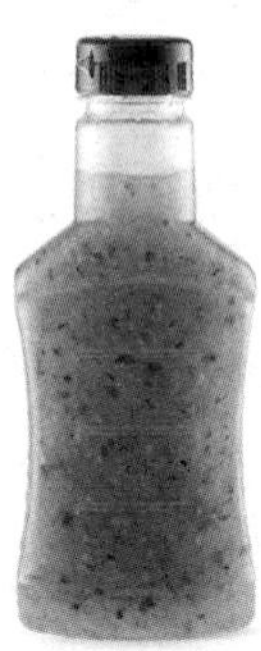

2 **Vinaigrette italienne**
125 ml (½ tasse)

3 **16 à 20 tomates cerises**

4 **2 courgettes**
coupées en demi-rondelles

5 **1 petit oignon rouge**
émincé

Gnocchis et légumes du jardin

Préparation **15 minutes** • Cuisson **20 minutes** • Quantité **4 portions**

PAR PORTION	
Calories	380
Protéines	10 g
Matières grasses	11 g
Glucides	65 g
Fibres	7 g
Fer	2 mg
Calcium	64 mg
Sodium	953 mg

À l'avance

1. Dans une casserole d'eau bouillante salée, cuire les gnocchis selon les indications de l'emballage. Égoutter.

2. Dans un grand sac hermétique, mélanger la vinaigrette italienne avec les tomates cerises, les courgettes, l'oignon rouge et les gnocchis, en s'assurant que tous les ingrédients sont bien enrobés de marinade. Saler et poivrer. Retirer l'air du sac et sceller.

3. Déposer le sac à plat sur une plaque. Placer au congélateur.

La veille du repas

1. Laisser décongeler le sac au réfrigérateur.

Au moment du repas

1. Préchauffer le four à 205 °C (400 °F).

2. Sur une plaque de cuisson tapissée de papier parchemin, étaler la préparation aux gnocchis. Cuire au four de 20 à 25 minutes, en remuant à mi-cuisson.

POUR VARIER

Changez les gnocchis

Découvrez un tout nouveau plat en utilisant des poitrines de poulet coupées en cubes au lieu des gnocchis dans cette recette. Pour que la plaque soit toujours végétarienne, vous pouvez également vous servir de pois chiches. Trois idées, trois fois plus de plaisir !

1 **Sirop d'érable**
80 ml (⅓ de tasse)

2 **Moutarde de Dijon**
30 ml (2 c. à soupe)

3 **12 choux de Bruxelles**
coupés en deux

4 **2 patates douces**
pelées et coupées en petits cubes

5 **Saumon**
4 filets épais de 150 g (⅓ de lb) chacun, la peau enlevée

PAR PORTION	
Calories	475
Protéines	34 g
Matières grasses	21 g
Glucides	36 g
Fibres	4 g
Fer	2 mg
Calcium	86 mg
Sodium	293 mg

Saumon à l'érable

Préparation **15 minutes** • Cuisson **25 minutes** • Quantité **4 portions**

À l'avance

1. Dans un grand sac hermétique, mélanger le sirop d'érable avec la moutarde, les choux de Bruxelles, les patates douces et les filets de saumon, en s'assurant que tous les ingrédients sont bien enrobés de marinade. Saler et poivrer. Retirer l'air du sac et sceller.

2. Déposer le sac à plat sur une plaque. Placer au congélateur.

La veille du repas

1. Laisser décongeler le sac au réfrigérateur.

Au moment du repas

1. Préchauffer le four à 205 °C (400 °F).

2. Sur une plaque de cuisson tapissée de papier parchemin, déposer les filets de saumon et les légumes. Cuire au four de 25 à 30 minutes.

ASTUCE *5-15*

Pratiques patates douces surgelées

Afin de gagner du temps lors de la préparation, n'hésitez pas à utiliser des patates douces surgelées. Pas besoin de les peler ni de les couper, ajoutez-les tout simplement à votre sac hermétique lors du *meal prep*. Un raccourci que l'on aime !

Hauts de cuisses de poulet épicés

Préparation **15 minutes** • Cuisson **30 minutes** • Quantité **4 portions**

PAR PORTION	
Calories	642
Protéines	46 g
Matières grasses	45 g
Glucides	10 g
Fibres	1 g
Fer	2 mg
Calcium	34 mg
Sodium	253 mg

1 **Harissa**
30 ml (2 c. à soupe)

2 **Jus d'orange**
80 ml (⅓ de tasse)

3 **2 poivrons rouges**
coupés en lanières

4 **1 petit oignon rouge**
émincé

5 **Poulet**
12 hauts de cuisses désossés sans peau

À l'avance

1. Dans un grand sac hermétique, mélanger l'harissa avec le jus d'orange, les poivrons, l'oignon et les hauts de cuisses de poulet, en s'assurant que tous les ingrédients sont bien enrobés de marinade. Saler et poivrer. Retirer l'air du sac et sceller.

2. Déposer le sac à plat sur une plaque. Placer au congélateur.

La veille du repas

1. Laisser décongeler le sac au réfrigérateur.

Au moment du repas

1. Préchauffer le four à 205 °C (400 °F).

2. Sur une plaque de cuisson tapissée de papier parchemin, étaler la préparation au poulet. Cuire au four de 30 à 35 minutes en remuant à mi-cuisson, jusqu'à ce que l'intérieur de la chair du poulet ait perdu sa teinte rosée.

TOUT SUR

L'harissa

Pour un ajout de saveurs instantané, la pâte d'harissa n'a pas son pareil. Ce condiment classique de la cuisine maghrébine est composé de piments rouges séchés traditionnellement au soleil et broyés, puis assaisonnés d'ail, de cumin, de coriandre et de carvi. On profite alors de toutes les qualités nutritionnelles du piment rouge, dont sa richesse en fibres et son indice glycémique faible. Parfait pour relever tous vos petits plats sans ajouter de matières grasses ou de calories !

Poulet farci aux épinards et ricotta

Préparation **15 minutes** • Cuisson **35 minutes** • Quantité **4 portions**

PAR PORTION	
Calories	528
Protéines	54 g
Matières grasses	31 g
Glucides	4 g
Fibres	1 g
Fer	2 mg
Calcium	183 mg
Sodium	452 mg

1 **Poulet**
4 poitrines sans peau

2 **Épinards surgelés**
décongelés et bien égouttés
125 ml (½ tasse)

3 **Ricotta**
250 ml (1 tasse)

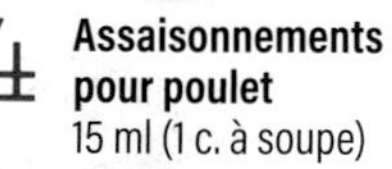

4 **Assaisonnements pour poulet**
15 ml (1 c. à soupe)

5 **Bacon**
8 tranches

À l'avance

1. Couper les poitrines de poulet en deux sur l'épaisseur, sans les trancher complètement.

2. Dans un bol, mélanger les épinards avec la ricotta. Saler et poivrer.

3. Farcir les poitrines de poulet avec la préparation à la ricotta. Assaisonner les poitrines avec les assaisonnements pour poulet.

4. Enrober chaque poitrine de poulet de deux tranches de bacon.

5. Sceller l'ouverture des poitrines de poulet à l'aide d'un cure-dent.

6. Dans un grand sac hermétique, déposer les poitrines de poulet farcies. Retirer l'air du sac et sceller.

7. Déposer le sac à plat sur une plaque. Placer au congélateur.

La veille du repas

1. Laisser décongeler le sac au réfrigérateur.

Au moment du repas

1. Préchauffer le four à 205 °C (400 °F).

2. Sur une plaque de cuisson tapissée de papier parchemin, déposer les poitrines de poulet, joint du bacon dessous. Ajouter les légumes-racines (voir la recette ci-dessous) sur la plaque. Cuire au four de 35 à 40 minutes en remuant les légumes quelques fois en cours de cuisson, jusqu'à ce que l'intérieur de la chair du poulet ait perdu sa teinte rosée.

IDÉE POUR ACCOMPAGNER

Légumes-racines miel et romarin

207 calories par portion

Dans un grand sac hermétique, mélanger 45 ml (3 c. à soupe) de miel avec 30 ml (2 c. à soupe) d'huile d'olive, 10 ml (2 c. à thé) de romarin frais haché et 1 feuille de laurier. Peler, puis couper 2 panais et 2 carottes en biseau, puis peler et couper 2 pommes de terre à chair jaune et ¼ de rutabaga en petits cubes. Déposer les légumes dans le sac. Saler et poivrer. Retirer l'air du sac et sceller. Déposer le sac à plat sur une plaque. Placer au congélateur. La veille du repas, laisser décongeler le sac au réfrigérateur. Au moment du repas, déposer la préparation aux légumes sur la plaque avec le poulet farci.

1 **Vinaigre balsamique**
60 ml (¼ de tasse)

2 **Sirop d'érable**
60 ml (¼ de tasse)

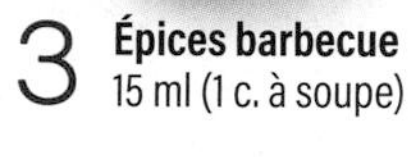

3 **Épices barbecue**
15 ml (1 c. à soupe)

4 **Pêches surgelées**
500 ml (2 tasses)

5 **Porc**
4 côtelettes de 150 g (⅓ de lb) chacune

Côtelettes de porc aux pêches

Préparation **15 minutes** • Cuisson **25 minutes** • Quantité **4 portions**

PAR PORTION	
Calories	445
Protéines	32 g
Matières grasses	14 g
Glucides	49 g
Fibres	2 g
Fer	2 mg
Calcium	59 mg
Sodium	96 mg

À l'avance

1. Dans un grand sac hermétique, mélanger le vinaigre balsamique avec le sirop d'érable, les épices barbecue, les pêches et les côtelettes de porc, en s'assurant que tous les ingrédients sont bien enrobés de marinade. Saler et poivrer. Retirer l'air du sac et sceller.

2. Déposer le sac à plat sur une plaque. Placer au congélateur.

La veille du repas

1. Laisser décongeler le sac au réfrigérateur.

Au moment du repas

1. Préchauffer le four à 205 °C (400 °F).

2. Sur une plaque de cuisson tapissée de papier parchemin, étaler les côtelettes de porc et les pêches. Cuire au four de 20 à 25 minutes, en retournant les côtelettes à mi-cuisson.

3. Verser le jus de cuisson de la plaque dans une casserole. Porter à ébullition, puis laisser mijoter de 5 à 8 minutes à feu moyen.

4. Napper les côtelettes de sauce.

SACS À CONGELER : SAUTÉS

On coupe les aliments, on les congèle, on les décongèle... Et que ça saute ! Découvrez ici une sélection de recettes sauve-la-vie pour préparer de savoureux sautés en moins de deux.

1 **Vinaigre balsamique**
60 ml (¼ de tasse)

2 **Miel**
30 ml (2 c. à soupe)

3 **Pâte de tomates**
30 ml (2 c. à soupe)

4 **Poulet**
4 petites poitrines sans peau coupées en cubes

5 **Mélange de légumes surgelés de style asiatique**
750 ml (3 tasses)

Poulet miel et balsamique

Préparation **15 minutes** • Cuisson **10 minutes** • Quantité **4 portions**

PAR PORTION	
Calories	291
Protéines	42 g
Matières grasses	5 g
Glucides	18 g
Fibres	1 g
Fer	1 mg
Calcium	25 mg
Sodium	262 mg

À l'avance

1. Dans un bol, mélanger le vinaigre balsamique avec le miel, la pâte de tomates et le bouillon de poulet. Saler et poivrer. Transvider la sauce dans un sac hermétique. Retirer l'air du sac et sceller.

2. Dans un autre grand sac hermétique, déposer le poulet et les légumes. Retirer l'air du sac et sceller.

3. Déposer les sacs à plat sur une plaque. Placer au congélateur.

La veille du repas

1. Laisser décongeler les sacs au réfrigérateur.

Au moment du repas

1. Dans une grande poêle, chauffer un peu d'huile d'olive à feu moyen-élevé. Cuire le poulet et les légumes de 8 à 10 minutes, jusqu'à ce que l'intérieur de la chair du poulet ait perdu sa teinte rosée.

2. Verser la sauce dans la poêle et poursuivre la cuisson de 2 à 3 minutes à feu moyen en remuant.

PRÉVOIR AUSSI :
- **Bouillon de poulet**
  125 ml (½ tasse)

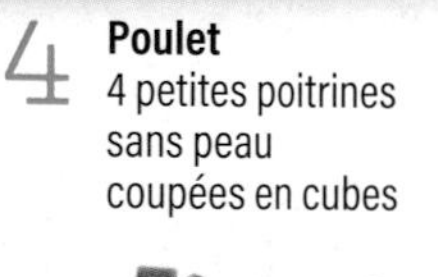

1 **Lait de coco**
1 boîte de 398 ml

2 **Beurre d'arachide croquant**
125 ml (½ tasse)

3 **Sauce soya**
30 ml (2 c. à soupe)

4 **Poulet**
8 hauts de cuisses désossés sans peau

5 **4 carottes**
coupées en biseau

PRÉVOIR AUSSI :
- **Ail**
haché
10 ml (2 c. à thé)

Poulet thaï à l'arachide

Préparation **15 minutes** • Cuisson **7 minutes** • Quantité **4 portions**

PAR PORTION	
Calories	657
Protéines	46 g
Matières grasses	46 g
Glucides	20 g
Fibres	4 g
Fer	3 mg
Calcium	57 mg
Sodium	776 mg

À l'avance

1. Dans un bol, mélanger le lait de coco avec le beurre d'arachide et la sauce soya jusqu'à l'obtention d'une préparation homogène. Saler et poivrer. Transvider la sauce dans un sac hermétique. Retirer l'air du sac et sceller.

2. Dans un autre grand sac hermétique, déposer les hauts de cuisses, les carottes et l'ail. Remuer. Retirer l'air du sac et sceller.

3. Déposer les sacs à plat sur une plaque. Placer au congélateur.

La veille du repas

1. Laisser décongeler les sacs au réfrigérateur.

Au moment du repas

1. Dans une grande poêle, chauffer un peu d'huile d'olive à feu moyen-élevé. Cuire les hauts de cuisses, les carottes et l'ail de 5 à 7 minutes, jusqu'à ce que l'intérieur de la chair du poulet ait perdu sa teinte rosée.

2. Verser la sauce dans la poêle et poursuivre la cuisson de 2 à 3 minutes à feu moyen en remuant.

OPTION VÉGÉ

Optez pour du tofu

Cette recette aux notes asiatiques serait tout aussi savoureuse avec du tofu au lieu du poulet. Envie de sortir des sentiers battus ? Les pois chiches seraient également une délicieuse option !

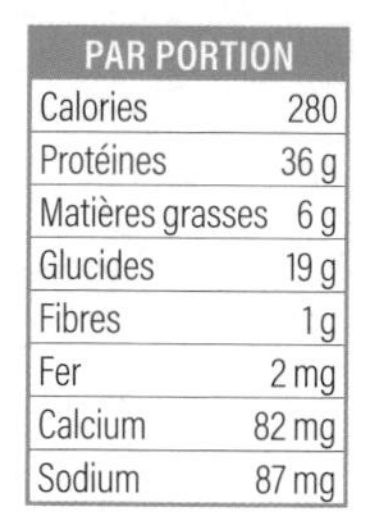

PAR PORTION	
Calories	280
Protéines	36 g
Matières grasses	6 g
Glucides	19 g
Fibres	1 g
Fer	2 mg
Calcium	82 mg
Sodium	87 mg

Poulet au jus de pomme

Préparation **15 minutes** • Cuisson **16 minutes** • Quantité **4 portions**

1 **Poulet**
4 petites poitrines sans peau

2 **Brocoli**
coupé en petits bouquets
750 ml (3 tasses)

3 **Ail**
haché
10 ml (2 c. à thé)

4 **Jus de pomme**
375 ml (1 ½ tasse)

5 **Vinaigre de riz**
30 ml (2 c. à soupe)

FACULTATIF :
- **Graines de sésame**
30 ml (2 c. à soupe)

À l'avance

1. Dans un grand sac hermétique, déposer les poitrines de poulet, le brocoli et l'ail. Retirer l'air du sac et sceller.

2. Dans un autre sac hermétique, mélanger le jus de pomme avec le vinaigre de riz. Retirer l'air du sac et sceller.

3. Déposer les sacs à plat sur une plaque. Placer au congélateur.

La veille du repas

1. Laisser décongeler les sacs au réfrigérateur.

Au moment du repas

1. Dans une grande poêle, chauffer un peu d'huile d'olive à feu moyen-élevé. Faire dorer les poitrines de poulet de 2 à 3 minutes de chaque côté.

2. Verser la sauce dans la poêle. Couvrir et poursuivre la cuisson de 12 à 15 minutes à feu doux en retournant les poitrines quelques fois en cours de cuisson, jusqu'à ce que l'intérieur de la chair du poulet ait perdu sa teinte rosée.

3. Environ 5 minutes avant la fin de la cuisson du poulet, ajouter le brocoli dans la poêle.

4. Si désiré, garnir de graines de sésame au moment de servir.

Sauté de crevettes et brocoli

Préparation **15 minutes** • Cuisson **9 minutes** • Quantité **4 portions**

PAR PORTION	
Calories	169
Protéines	23 g
Matières grasses	2 g
Glucides	16 g
Fibres	1 g
Fer	1 mg
Calcium	108 mg
Sodium	1586 mg

1 **44 crevettes moyennes** (calibre 31/40) crues et décortiquées

2 **1 brocoli** coupé en petits bouquets

3 **Pois sucrés** 150 g (⅓ de lb)

4 **Sauce soya réduite en sodium** 80 ml (⅓ de tasse)

5 **Miel** 30 ml (2 c. à soupe)

PRÉVOIR AUSSI :

- **Ail** haché 10 ml (2 c. à thé)
- **Gingembre** haché 5 ml (1 c. à thé)

À l'avance

1. Dans un grand sac hermétique, déposer les crevettes, le brocoli et les pois sucrés. Retirer l'air du sac et sceller.

2. Dans un autre sac hermétique, mélanger la sauce soya avec le miel, l'ail et le gingembre. Retirer l'air du sac et sceller.

3. Déposer les sacs à plat sur une plaque. Placer au congélateur.

La veille du repas

1. Laisser décongeler les sacs au réfrigérateur.

Au moment du repas

1. Dans une grande poêle, chauffer un peu d'huile d'olive à feu moyen. Cuire les crevettes, le brocoli et les pois sucrés de 4 à 5 minutes.

2. Verser la sauce dans la poêle. Porter à ébullition, puis cuire de 5 à 6 minutes à feu moyen, en remuant de temps en temps. Saler et poivrer.

Sauté de poulet tandoori

Préparation **15 minutes** • Cuisson **12 minutes** • Quantité **4 portions**

PAR PORTION	
Calories	337
Protéines	48 g
Matières grasses	9 g
Glucides	17 g
Fibres	5 g
Fer	1 mg
Calcium	253 mg
Sodium	391 mg

1 **Poulet**
4 poitrines sans peau coupées en cubes

2 **Mélange de légumes surgelés de style récolte classique**
1 sac de 750 g

3 **Yogourt grec 2 %**
180 ml (¾ de tasse)

4 **Épices tandoori**
20 ml (4 c. à thé)

5 **Jus de citron frais**
15 ml (1 c. à soupe)

PRÉVOIR AUSSI :
- **Crème à cuisson 15 %**
80 ml (⅓ de tasse)

À l'avance

1. Dans un grand sac hermétique, déposer les cubes de poulet et le mélange de légumes. Retirer l'air du sac et sceller.

2. Dans un autre sac hermétique, mélanger le yogourt avec les épices tandoori, la crème et le jus de citron. Retirer l'air du sac et sceller.

3. Déposer les sacs à plat sur une plaque. Placer au congélateur.

La veille du repas

1. Laisser décongeler les sacs au réfrigérateur.

Au moment du repas

1. Dans une grande poêle, chauffer un peu d'huile d'olive à feu moyen-élevé. Cuire le poulet et les légumes de 8 à 10 minutes en remuant, jusqu'à ce que l'intérieur de la chair du poulet ait perdu sa teinte rosée.

2. Verser la sauce dans la poêle. Poursuivre la cuisson de 4 à 5 minutes à feu moyen, en remuant de temps en temps. Saler et poivrer.

PAR PORTION	
Calories	373
Protéines	23 g
Matières grasses	9 g
Glucides	52 g
Fibres	7 g
Fer	4 mg
Calcium	284 mg
Sodium	233 mg

Tofu à l'orange

Préparation **15 minutes** • Cuisson **8 minutes** • Quantité **4 portions**

1 **2 oranges**

2 **Jus d'orange**
125 ml (½ tasse)

3 **Sauce miel et ail**
125 ml (½ tasse)

4 **Tofu ferme**
coupé en cubes
1 bloc de 454 g

5 **Mélange de légumes surgelés de style oriental**
500 ml (2 tasses)

PRÉVOIR AUSSI :
- **Fécule de maïs**
10 ml (2 c. à thé)

À l'avance

1. Prélever les suprêmes des oranges en coupant d'abord l'écorce à vif, puis en tranchant de chaque côté des membranes. Réserver.

2. Dans un bol, mélanger le jus d'orange avec la sauce miel et ail et la fécule de maïs. Transvider la sauce dans un sac hermétique. Retirer l'air du sac et sceller.

3. Dans un autre grand sac hermétique, déposer le tofu, les légumes et les suprêmes d'oranges. Saler et poivrer. Retirer l'air du sac et sceller.

4. Déposer les sacs à plat sur une plaque. Placer au congélateur.

La veille du repas

1. Laisser décongeler les sacs au réfrigérateur.

Au moment du repas

1. Dans une grande poêle, chauffer un peu d'huile d'olive à feu moyen. Cuire le tofu, les légumes et les suprêmes d'oranges de 5 à 6 minutes.

2. Verser la sauce dans la poêle. Poursuivre la cuisson de 3 à 4 minutes en remuant, jusqu'à ce que la sauce ait épaissi.

POUR VARIER

Utilisez du bœuf

Pour les plus carnivores, il est possible de changer le tofu pour des lanières de bœuf dans cette recette de sauté. Vous obtiendrez un résultat qui n'est pas sans rappeler le traditionnel bœuf croustillant à l'orange des restos asiatiques !

PAR PORTION	
Calories	352
Protéines	35 g
Matières grasses	2 g
Glucides	45 g
Fibres	2 g
Fer	3 mg
Calcium	30 mg
Sodium	586 mg

Porc à l'ananas

Préparation **15 minutes** • Cuisson **10 minutes** • Quantité **4 portions**

1 **Porc**
1 filet de 600 g (environ 1 ⅓ lb) coupé en douze médaillons

2 **1 oignon**
émincé

3 **Ananas**
coupé en morceaux
375 ml (1 ½ tasse)

4 **3 demi-poivrons de couleurs variées**
coupés en cubes

5 **Sauce barbecue**
250 ml (1 tasse)

À l'avance

1. Dans un grand sac hermétique, déposer les médaillons de porc, l'oignon, l'ananas et les poivrons. Retirer l'air du sac et sceller.

2. Déposer le sac à plat sur une plaque. Placer au congélateur.

La veille du repas

1. Laisser décongeler le sac au réfrigérateur.

Au moment du repas

1. Dans une grande poêle, chauffer un peu d'huile d'olive à feu moyen-élevé. Cuire le porc, l'oignon, l'ananas et les poivrons de 8 à 10 minutes, en remuant plusieurs fois en cours de cuisson.

2. Verser la sauce barbecue dans la poêle et poursuivre la cuisson de 2 à 3 minutes. Saler et poivrer.

ASTUCE *5-15*

Ananas prêt à servir

N'hésitez pas à prendre un raccourci en utilisant un ananas déjà paré du commerce. Vous le trouverez au rayon des fruits et légumes du supermarché avec les fruits déjà coupés. Il coûte souvent le même prix ou quelques sous de plus qu'un fruit entier, donc pas de raison de s'en priver ! Sinon, une conserve d'ananas en morceaux ferait tout aussi bien l'affaire.

Sauté de poulet au kale et parmesan

Préparation **10 minutes** • Cuisson **14 minutes** • Quantité **4 portions**

PAR PORTION	
Calories	372
Protéines	50 g
Matières grasses	11 g
Glucides	19 g
Fibres	2 g
Fer	2 mg
Calcium	228 mg
Sodium	547 mg

1 **Poulet**
4 petites poitrines sans peau coupées en lanières

2 **Chou kale**
haché
500 ml (2 tasses)

3 **Maïs en grains**
375 ml (1 ½ tasse)

4 **Bouillon de poulet**
125 ml (½ tasse)

5 **Parmesan**
râpé
180 ml (¾ de tasse)

À l'avance

1. Dans un grand sac hermétique, déposer les lanières de poulet, le chou kale et le maïs. Retirer l'air du sac et sceller.

2. Déposer le sac à plat sur une plaque. Placer au congélateur.

La veille du repas

1. Laisser décongeler le sac au réfrigérateur.

Au moment du repas

1. Dans une grande poêle, chauffer un peu d'huile d'olive à feu moyen-élevé. Cuire les lanières de poulet de 3 à 4 minutes de chaque côté, jusqu'à ce que l'intérieur de la chair du poulet ait perdu sa teinte rosée.

2. Ajouter le chou kale, le maïs en grains et le bouillon de poulet. Poursuivre la cuisson de 8 à 10 minutes à feu moyen, en remuant régulièrement en cours de cuisson.

3. Garnir de parmesan.

IDÉE DE GÉNIE

Boost de saveurs express

Afin de relever encore plus le goût de ce sauté, ajoutez une touche de votre vinaigrette préférée au moment de la cuisson. Plusieurs choix s'offrent à vous selon les saveurs que vous recherchez. Italienne piquante, fines herbes, miel et Dijon… Il existe autant de variétés de vinaigrettes que de façons de réinventer ce plat !

Sauté de bœuf teriyaki

Préparation **15 minutes** • Cuisson **9 minutes** • Quantité **4 portions**

PAR PORTION	
Calories	275
Protéines	31 g
Matières grasses	4 g
Glucides	28 g
Fibres	4 g
Fer	5 mg
Calcium	24 mg
Sodium	241 mg

1 **Bœuf**
450 g (1 lb) de surlonge coupée en petits cubes

2 **Mélange de légumes surgelés de style asiatique**
750 ml (3 tasses)

3 **Sauce teriyaki**
80 ml (⅓ de tasse)

4 **Sirop d'érable**
30 ml (2 c. à soupe)

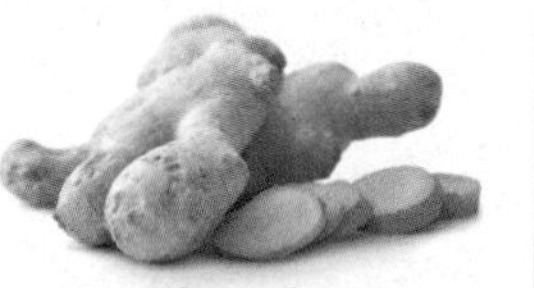

5 **Gingembre** haché
15 ml (1 c. à soupe)

À l'avance

1. Dans un grand sac hermétique, déposer les cubes de bœuf et le mélange de légumes. Retirer l'air du sac et sceller.

2. Dans un autre sac hermétique, mélanger la sauce teriyaki avec le sirop d'érable et le gingembre. Retirer l'air du sac et sceller.

3. Déposer les sacs à plat sur une plaque. Placer au congélateur.

La veille du repas

1. Laisser décongeler les sacs au réfrigérateur.

Au moment du repas

1. Dans une grande poêle, chauffer un peu d'huile d'olive à feu moyen. Cuire les cubes de bœuf et les légumes de 6 à 8 minutes.

2. Verser la sauce dans la poêle et poursuivre la cuisson de 3 à 4 minutes, en remuant de temps en temps. Saler et poivrer.

POUR VARIER

Changez les légumes surgelés

Vous n'avez pas de mélange de légumes surgelés de style asiatique à la maison, mais vous avez du brocoli à passer ? Il sera parfait dans cette recette ! Vous pouvez également utiliser des bok choys, dont les saveurs s'harmoniseront à merveille avec la sauce teriyaki et les notes de gingembre de ce plat classique.

1 **Crevettes moyennes** (calibre 31/40) crues et décortiquées 450 g (1 lb)

2 **1 petit oignon rouge** émincé

3 **Crème à cuisson 15 %** 375 ml (1 ½ tasse)

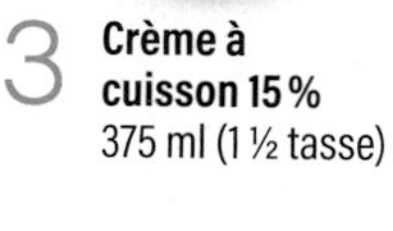

4 **Parmesan** râpé 180 ml (¾ de tasse)

5 **Bébés épinards** 750 ml (3 tasses)

Crevettes crémeuses au parmesan

Préparation **15 minutes** • Cuisson **6 minutes** • Quantité **4 portions**

PAR PORTION	
Calories	326
Protéines	23 g
Matières grasses	22 g
Glucides	12 g
Fibres	0 g
Fer	1 mg
Calcium	352 mg
Sodium	1025 mg

À l'avance

1. Dans un grand sac hermétique, déposer les crevettes et l'oignon. Retirer l'air du sac et sceller.

2. Déposer le sac à plat sur une plaque. Placer au congélateur.

La veille du repas

1. Laisser décongeler le sac au réfrigérateur.

Au moment du repas

1. Dans une grande poêle, chauffer un peu d'huile d'olive à feu moyen. Cuire les crevettes et l'oignon de 3 à 4 minutes.

2. Ajouter la crème et le parmesan. Poursuivre la cuisson de 3 à 4 minutes, en remuant de temps en temps. Saler et poivrer.

3. Ajouter les épinards et remuer.

SOS ALLERGIES

Remplacez les crevettes

Vous ou quelqu'un de votre famille avez une allergie aux crevettes ? Heureusement, ce n'est pas une raison de se priver de cette savoureuse recette ! Vous pouvez remplacer les crustacés par du saumon ou même du poulet, et ce sera tout aussi bon !

1 **Pancetta cuite en dés**
1 paquet de 175 g

2 **Sauce rosée**
500 ml (2 tasses)

3 **12 à 15 tomates cerises de couleurs variées**

4 **1 poireau**
tranché

5 **Gnocchis**
1 paquet de 500 g

Sauté de gnocchis à l'italienne

Préparation **15 minutes** • Cuisson **4 minutes (+ 8 minutes au moment du repas)**
Quantité **6 portions**

PAR PORTION	
Calories	406
Protéines	13 g
Matières grasses	20 g
Glucides	45 g
Fibres	4 g
Fer	1 mg
Calcium	90 mg
Sodium	1285 mg

À l'avance

1. Chauffer une grande poêle à feu moyen. Faire dorer la pancetta de 4 à 5 minutes. Retirer du feu et laisser tiédir.

2. Dans un grand sac hermétique, mélanger la pancetta avec la sauce, les tomates cerises et le poireau. Retirer l'air du sac et sceller.

3. Déposer le sac à plat sur une plaque. Placer au congélateur.

La veille du repas

1. Laisser décongeler le sac au réfrigérateur.

Au moment du repas

1. Dans une casserole d'eau bouillante salée, cuire les gnocchis selon les indications de l'emballage. Égoutter.

2. Dans une grande poêle, chauffer un peu d'huile d'olive à feu moyen. Faire dorer les gnocchis de 4 à 5 minutes.

3. Ajouter la préparation à la pancetta. Porter à ébullition, puis poursuivre la cuisson de 4 à 5 minutes à feu doux-moyen en remuant de temps en temps, jusqu'à ce que les gnocchis soient tendres. Saler et poivrer.

INGRÉDIENT VEDETTE

Tout sur le gnocchi

On le trouve de plus en plus dans nos assiettes et tout le monde en raffole ! Le gnocchi fait partie de la famille des pâtes, bien qu'il soit fabriqué différemment de celles-ci. Les gnocchis sont faits d'une pâte composée grosso modo d'un mélange de purée de pommes de terre, de farine et d'œufs. Selon la plus pure tradition italienne, le gnocchi doit avoir une texture moelleuse, comme un oreiller douillet. Ultra-polyvalent, il peut se cuisiner autant en plat principal qu'en accompagnement, être plongé dans l'eau bouillante ou grillé à la poêle. Un aliment passe-partout et rassasiant à mettre au menu plus souvent !

PAR PORTION	
Calories	486
Protéines	20 g
Matières grasses	36 g
Glucides	28 g
Fibres	4 g
Fer	4 mg
Calcium	144 mg
Sodium	368 mg

Tempeh aux arachides

Préparation **15 minutes** • Cuisson **8 minutes** • Quantité **4 portions**

1 **Beurre d'arachide**
60 ml (¼ de tasse)

2 **Miso**
30 ml (2 c. à soupe)

3 **Lait de coco**
1 boîte de 398 ml

4 **Tempeh**
coupé en cubes
1 paquet de 240 g

5 **Mélange de légumes surgelés de style asiatique**
750 ml (3 tasses)

À l'avance

1. Dans un bol, fouetter le beurre d'arachide avec le miso. Incorporer graduellement le lait de coco en fouettant. Transvider la sauce dans un sac hermétique. Retirer l'air du sac et sceller.

2. Dans un autre grand sac hermétique, déposer le tempeh et les légumes. Retirer l'air du sac et sceller.

3. Déposer les sacs à plat sur une plaque. Placer au congélateur.

La veille du repas

1. Laisser décongeler les sacs au réfrigérateur.

Au moment du repas

1. Dans une grande poêle, chauffer un peu d'huile d'olive à feu moyen. Cuire le tempeh et les légumes de 5 à 6 minutes.

2. Verser la sauce dans la poêle. Porter à ébullition, puis cuire de 3 à 4 minutes à feu moyen, en remuant de temps en temps. Saler et poivrer.

POUR VARIER

Troquez le tempeh

Vous n'êtes pas *fan* du goût plus prononcé du tempeh ? Essayez cette recette en troquant le tempeh contre du porc. Cette viande sera parfaite avec la sauce aux arachides, et ce petit plat plaira à toute la famille !

1 **Bœuf**
450 g (1 lb) de bifteck de surlonge coupé en lanières

2 **Mélange de légumes surgelés de style thaïlandais**
1 sac de 500 g

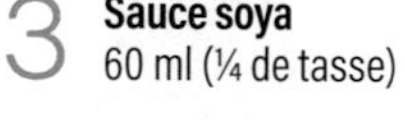

3 **Sauce soya**
60 ml (¼ de tasse)

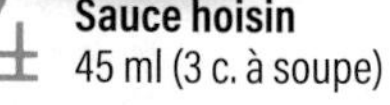

4 **Sauce hoisin**
45 ml (3 c. à soupe)

5 **Ail**
haché
10 ml (2 c. à thé)

Lanières de bœuf à l'asiatique

Préparation **15 minutes** • Cuisson **8 minutes** • Quantité **4 portions**

PAR PORTION	
Calories	244
Protéines	30 g
Matières grasses	5 g
Glucides	19 g
Fibres	3 g
Fer	4 mg
Calcium	17 mg
Sodium	1056 mg

À l'avance

1. Dans un grand sac hermétique, déposer les lanières de bœuf et le mélange de légumes. Retirer l'air du sac et sceller.

2. Dans un autre sac hermétique, mélanger la sauce soya avec la sauce hoisin et l'ail. Retirer l'air du sac et sceller.

3. Déposer les sacs à plat sur une plaque. Placer au congélateur.

La veille du repas

1. Laisser décongeler les sacs au réfrigérateur.

Au moment du repas

1. Dans une grande poêle, chauffer un peu d'huile d'olive à feu moyen. Cuire les lanières de bœuf et les légumes de 5 à 6 minutes.

2. Verser la sauce dans la poêle. Porter à ébullition, puis cuire de 3 à 4 minutes à feu moyen, en remuant de temps en temps. Saler et poivrer.

Saumon miel et ail

Préparation **15 minutes** • Cuisson **5 minutes** • Quantité **4 portions**

PAR PORTION	
Calories	388
Protéines	32 g
Matières grasses	20 g
Glucides	19 g
Fibres	1 g
Fer	1 mg
Calcium	47 mg
Sodium	190 mg

À l'avance

1. Dans un grand sac hermétique, déposer les cubes de saumon, le brocoli et les carottes. Retirer l'air du sac et sceller.

2. Déposer le sac à plat sur une plaque. Placer au congélateur.

La veille du repas

1. Laisser décongeler le sac au réfrigérateur.

Au moment du repas

1. Dans une grande poêle, chauffer un peu d'huile d'olive à feu moyen. Cuire le saumon, le brocoli et les carottes de 3 à 4 minutes, en remuant délicatement.

2. Ajouter le bouillon de poulet, le miel et l'ail. Poursuivre la cuisson de 2 à 3 minutes à feu doux-moyen, en remuant délicatement de temps en temps. Saler et poivrer.

1 **Saumon**
600 g (environ 1 ⅓ lb) de filet, la peau enlevée et coupé en cubes

2 **Brocoli**
coupé en petits bouquets
500 ml (2 tasses)

3 **2 carottes**
tranchées

4 **Miel**
45 ml (3 c. à soupe)

5 **Ail**
haché
15 ml (1 c. à soupe)

PRÉVOIR AUSSI :
- **Bouillon de poulet**
80 ml (⅓ de tasse)

PAR PORTION	
Calories	319
Protéines	23 g
Matières grasses	12 g
Glucides	26 g
Fibres	2 g
Fer	1 mg
Calcium	25 mg
Sodium	1858 mg

Saucisses kielbasa

Préparation **15 minutes** • Cuisson **8 minutes** • Quantité **4 portions**

1 **Saucisses kielbasa** tranchées 450 g (1 lb)

2 **3 demi-poivrons de couleurs variées** émincés

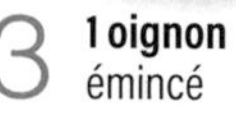

3 **1 oignon** émincé

4 **Ail** haché 10 ml (2 c. à thé)

5 **Sauce sucrée aux piments chili** 125 ml (½ tasse)

À l'avance

1. Dans un grand sac hermétique, déposer les tranches de saucisses, les poivrons, l'oignon et l'ail. Retirer l'air du sac et sceller.

2. Déposer le sac à plat sur une plaque. Placer au congélateur.

La veille du repas

1. Laisser décongeler le sac au réfrigérateur.

Au moment du repas

1. Dans une grande poêle, chauffer un peu d'huile d'olive à feu moyen. Cuire les saucisses, les poivrons, l'oignon et l'ail de 5 à 6 minutes.

2. Verser la sauce dans la poêle. Porter à ébullition, puis cuire de 3 à 4 minutes à feu moyen, en remuant de temps en temps. Saler et poivrer.

POUR VARIER

Changez votre accompagnement

Bien qu'il soit délicieux tel quel, ce plat de saucisses se sert à merveille sur un lit de riz ou accompagné d'une purée de pommes de terre. Allez-y selon les goûts des membres de votre famille !

GRATINS

Des plats tout-en-un garnis de fromage fondant, voilà le type de mets que l'on aime avoir en réserve dans le congélo et qui, une fois décongelés, font le bonheur de toute la tablée ! Poulet crémeux, casserole de saucisses, enchiladas, saumon gratiné à la ranch... Faites le plein d'inspiration et offrez-vous des festins gratinés à savourer à pleines bouchées !

Casserole de côtelettes de porc et pommes de terre

Préparation **15 minutes** • Cuisson **24 minutes (+ 35 minutes pour réchauffer)**
Quantité **4 portions**

PAR PORTION	
Calories	575
Protéines	41 g
Matières grasses	20 g
Glucides	57 g
Fibres	7 g
Fer	4 mg
Calcium	314 mg
Sodium	1218 mg

1 **Porc**
4 côtelettes avec os de 2,5 cm (1 po) d'épaisseur

2 **Crème de champignons prête à servir**
1 boîte de 540 ml

3 **4 pommes de terre à chair jaune**
pelées et coupées en cubes

4 **1 brocoli**
coupé en petits bouquets

5 **Mélange de fromages italiens râpés**
375 ml (1 ½ tasse)

PRÉVOIR AUSSI :
- **2 oignons** émincés

À l'avance

1. Préchauffer le four à 205 °C (400 °F).

2. Dans une poêle allant au four, chauffer un peu d'huile d'olive à feu moyen. Faire dorer les côtelettes de porc 1 minute de chaque côté.

3. Ajouter les oignons et cuire de 2 à 3 minutes.

4. Verser la crème de champignons dans la poêle et porter à ébullition.

5. Ajouter les pommes de terre et le brocoli. Couvrir de fromage, puis poursuivre la cuisson au four de 20 à 25 minutes. Retirer du four et laisser tiédir.

6. Transférer la préparation dans un plat de cuisson. Laisser refroidir au réfrigérateur.

7. Couvrir le plat d'une pellicule plastique, puis d'une feuille de papier d'aluminium. Congeler.

La veille du repas

1. Laisser décongeler la casserole au réfrigérateur.

Au moment du repas

1. Préchauffer le four à 190 °C (375 °F).

2. Retirer le papier d'aluminium et la pellicule plastique du plat. Remettre le papier d'aluminium sur le plat.

3. Réchauffer au four de 25 à 30 minutes. Retirer le papier d'aluminium du plat et poursuivre la cuisson environ 10 minutes, jusqu'à ce que l'intérieur du plat soit chaud et que le fromage soit doré.

1 **Porc**
600 g (environ 1⅓ lb) de filet

2 **Macédoine de légumes surgelée**
375 ml (1 ½ tasse)

3 **Riz blanc à grains longs**
375 ml (1 ½ tasse)

4 **Bouillon de poulet réduit en sodium**
750 ml (3 tasses)

5 **Fromage en grains**
200 g (environ ½ lb)

PAR PORTION	
Calories	652
Protéines	53 g
Matières grasses	16 g
Glucides	71 g
Fibres	4 g
Fer	3 mg
Calcium	390 mg
Sodium	976 mg

Poêlée de porc et riz

Préparation **15 minutes** • Cuisson **26 minutes (+ 45 minutes pour réchauffer)**
Quantité **4 portions**

À l'avance

1. Préchauffer le four à 205 °C (400 °F).

2. Parer le filet de porc en retirant la membrane blanche. Couper le filet en cubes.

3. Dans une poêle allant au four, chauffer un peu d'huile d'olive à feu moyen. Faire dorer les cubes de porc de 3 à 4 minutes.

4. Ajouter la macédoine de légumes et cuire 2 minutes.

5. Ajouter le riz et le bouillon. Saler, poivrer et porter à ébullition.

6. Couvrir et poursuivre la cuisson au four de 15 à 20 minutes.

7. Couvrir de fromage en grains, puis poursuivre la cuisson 5 minutes sans couvercle.

8. Régler le four à la position « gril » (*broil*) et poursuivre la cuisson 1 minute. Retirer du four et laisser tiédir.

9. Transférer la préparation dans un plat de cuisson. Laisser refroidir au réfrigérateur.

10. Couvrir le plat d'une pellicule plastique, puis d'une feuille de papier d'aluminium. Congeler.

La veille du repas

1. Laisser décongeler la poêlée au réfrigérateur.

Au moment du repas

1. Préchauffer le four à 190 °C (375 °F).

2. Retirer le papier d'aluminium et la pellicule plastique du plat. Remettre le papier d'aluminium sur le plat.

3. Réchauffer au four de 35 à 50 minutes. Retirer le papier d'aluminium du plat et poursuivre la cuisson environ 10 minutes, jusqu'à ce que l'intérieur du plat soit chaud et que le fromage soit doré.

Poulet crémeux

Préparation **15 minutes** • Cuisson **20 minutes (+ 45 minutes pour réchauffer)**
Quantité **4 portions**

PAR PORTION	
Calories	469
Protéines	57 g
Matières grasses	22 g
Glucides	10 g
Fibres	2 g
Fer	3 mg
Calcium	365 mg
Sodium	349 mg

1 **Crème sure 14 %**
250 ml (1 tasse)

2 **Mélange de fromages italiens râpés**
375 ml (1 ½ tasse)

3 **Assaisonnements pour poulet**
15 ml (1 c. à soupe)

4 **Asperges**
450 g (1 lb)

5 **Poulet**
4 poitrines sans peau

À l'avance

1. Préchauffer le four à 205 °C (400 °F).

2. Dans un bol, mélanger la crème sure avec le fromage et les assaisonnements pour poulet.

3. Huiler un plat de cuisson et y répartir les asperges.

4. Déposer les poitrines de poulet sur les asperges et les badigeonner de la préparation au fromage.

5. Cuire au four de 20 à 25 minutes, jusqu'à ce que l'intérieur de la chair du poulet ait perdu sa teinte rosée. Environ 2 minutes avant la fin de la cuisson, régler le four à la position « gril » (*broil*).

6. Retirer du four et laisser tiédir, puis refroidir au réfrigérateur. Couvrir le plat d'une pellicule plastique, puis d'une feuille de papier d'aluminium. Congeler.

La veille du repas

1. Laisser décongeler le poulet au réfrigérateur.

Au moment du repas

1. Préchauffer le four à 190 °C (375 °F).

2. Retirer le papier d'aluminium et la pellicule plastique du plat. Remettre le papier d'aluminium sur le plat.

3. Réchauffer au four de 35 à 50 minutes. Retirer le papier d'aluminium et poursuivre la cuisson environ 10 minutes, jusqu'à ce que l'intérieur du plat soit chaud et que le fromage soit doré.

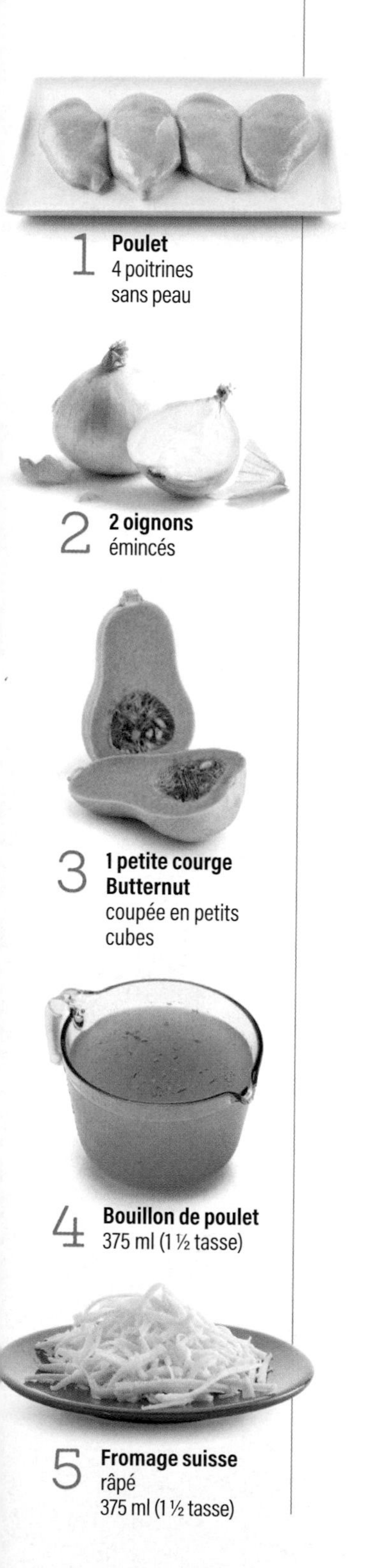

1 **Poulet**
4 poitrines
sans peau

2 **2 oignons**
émincés

3 **1 petite courge Butternut**
coupée en petits cubes

4 **Bouillon de poulet**
375 ml (1 ½ tasse)

5 **Fromage suisse**
râpé
375 ml (1 ½ tasse)

Poulet aux oignons

Préparation **15 minutes** • Cuisson **26 minutes (+ 45 minutes pour réchauffer)**
Quantité **4 portions**

PAR PORTION	
Calories	535
Protéines	60 g
Matières grasses	18 g
Glucides	35 g
Fibres	8 g
Fer	4 mg
Calcium	496 mg
Sodium	450 mg

À l'avance

1. Préchauffer le four à 205 °C (400 °F).

2. Dans une poêle allant au four, chauffer un peu d'huile d'olive à feu moyen. Faire dorer les poitrines de poulet de 1 à 2 minutes de chaque côté. Réserver les poitrines dans une assiette.

3. Dans la même poêle, faire dorer les oignons de 3 à 4 minutes.

4. Ajouter la courge et cuire de 1 à 2 minutes.

5. Verser le bouillon dans la poêle. Déposer les poitrines de poulet sur les légumes, puis couvrir de fromage.

6. Cuire au four de 20 à 25 minutes, jusqu'à ce que l'intérieur de la chair du poulet ait perdu sa teinte rosée. Environ 2 minutes avant la fin de la cuisson, régler le four à la position « gril » (*broil*). Retirer du four et laisser tiédir.

7. Transférer la préparation dans un plat de cuisson. Laisser refroidir au réfrigérateur.

8. Couvrir le plat d'une pellicule plastique, puis d'une feuille de papier d'aluminium. Congeler.

La veille du repas

1. Laisser décongeler le poulet au réfrigérateur.

Au moment du repas

1. Préchauffer le four à 190 °C (375 °F).

2. Retirer le papier d'aluminium et la pellicule plastique du plat. Remettre le papier d'aluminium sur le plat.

3. Réchauffer au four de 35 à 50 minutes. Retirer le papier d'aluminium et poursuivre la cuisson environ 10 minutes, jusqu'à ce que l'intérieur du plat soit chaud et que le fromage soit doré.

1 **Poulet cuit** effiloché
500 ml (2 tasses)

2 **Sauce barbecue**
160 ml (⅔ de tasse)

3 **Mozzarella** râpée
500 ml (2 tasses)

4 **3 demi-poivrons de couleurs variées** coupés en dés

5 **Pâte à pizza**
450 g (1 lb)

Rouleaux de pizza au poulet barbecue

Préparation **15 minutes** • Cuisson **35 minutes (+ 20 minutes pour réchauffer)**
Quantité **4 portions**

PAR PORTION	
Calories	687
Protéines	43 g
Matières grasses	25 g
Glucides	72 g
Fibres	4 g
Fer	6 mg
Calcium	375 mg
Sodium	1337 mg

À l'avance

1. Préchauffer le four à 205 °C (400 °F).

2. Dans un bol, mélanger le poulet avec la sauce barbecue, la moitié de la mozzarella et les poivrons. Saler et poivrer.

3. Sur une surface légèrement farinée, étirer la pâte en un rectangle de 33 cm x 25 cm (13 po x 10 po).

4. Étaler la préparation au poulet sur toute la surface de la pâte. Rouler la pâte sur la longueur en serrant au fur et à mesure, jusqu'à l'obtention d'un rouleau.

5. Couper le rouleau en douze portions égales.

6. Huiler un plat de cuisson de 33 cm x 23 cm (13 po x 9 po), puis y déposer les rouleaux de pizza. Couvrir du reste de la mozzarella.

7. Cuire au four de 35 à 40 minutes.

8. Retirer du four et laisser tiédir, puis refroidir au réfrigérateur. Couvrir le plat d'une pellicule plastique, puis d'une feuille de papier d'aluminium. Congeler.

La veille du repas

1. Laisser décongeler les rouleaux au réfrigérateur.

Au moment du repas

1. Préchauffer le four à 180 °C (350 °F).

2. Retirer le papier d'aluminium et la pellicule plastique du plat. Remettre le papier d'aluminium sur le plat.

3. Réchauffer au four de 10 à 20 minutes. Retirer le papier d'aluminium et poursuivre la cuisson environ 10 minutes, jusqu'à ce que l'intérieur du plat soit chaud et que le fromage soit doré.

Enchiladas au poulet

Préparation **15 minutes** • Cuisson **34 minutes (+ 30 minutes pour réchauffer)**
Quantité **4 portions**

PAR PORTION	
Calories	717
Protéines	55 g
Matières grasses	33 g
Glucides	65 g
Fibres	9 g
Fer	4 mg
Calcium	531 mg
Sodium	1386 mg

1 **Poulet**
4 petites poitrines sans peau

2 **Sauce marinara**
625 ml (2 ½ tasses)

3 **Mélange de maïs style mexicain**
de type Del Monte
1 boîte de 398 ml

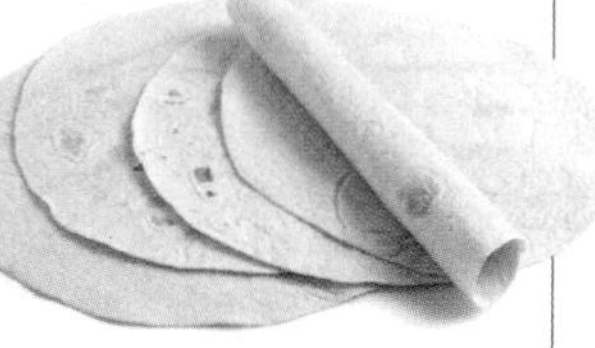

4 **Tortillas**
8 petites

5 **Cheddar jaune fort**
râpé
375 ml (1 ½ tasse)

FACULTATIF :
- **Assaisonnements pour fajitas**
  1 sachet de 24 g

À l'avance

1. Préchauffer le four à 180 °C (350 °F).

2. Dans une poêle, chauffer un peu d'huile d'olive à feu moyen. Faire dorer les poitrines de poulet de 2 à 3 minutes de chaque côté.

3. Verser la sauce marinara dans la poêle et, si désiré, saupoudrer les assaisonnements pour fajitas. Porter à ébullition, puis laisser mijoter de 12 à 15 minutes à feu doux-moyen.

4. Retirer les poitrines de la poêle et les déposer dans une assiette. Effilocher le poulet à l'aide d'une fourchette.

5. Dans un bol, mélanger le poulet avec le mélange de maïs.

6. Répartir la préparation au poulet au centre des tortillas et rouler.

7. Dans un plat de cuisson de 28 cm x 20 cm (11 po x 8 po), verser un peu de sauce contenue dans la poêle. Déposer les tortillas côte à côte dans le plat, joint dessous. Napper du reste de la sauce et couvrir de cheddar.

8. Cuire au four de 18 à 20 minutes.

9. Retirer du four et laisser tiédir, puis refroidir au réfrigérateur. Couvrir le plat d'une pellicule plastique, puis d'une feuille de papier d'aluminium. Congeler.

La veille du repas

1. Laisser décongeler les enchiladas au réfrigérateur.

Au moment du repas

1. Préchauffer le four à 180 °C (350 °F).

2. Retirer le papier d'aluminium et la pellicule plastique du plat. Remettre le papier d'aluminium sur le plat.

3. Réchauffer au four de 20 à 30 minutes. Retirer le papier d'aluminium et poursuivre la cuisson environ 10 minutes, jusqu'à ce que l'intérieur du plat soit chaud et que le fromage soit doré.

Courgettes farcies au thon

Préparation **15 minutes** • Cuisson **35 minutes au moment du repas**
Quantité **4 portions**

PAR PORTION	
Calories	495
Protéines	38 g
Matières grasses	36 g
Glucides	7 g
Fibres	2 g
Fer	3 mg
Calcium	363 mg
Sodium	812 mg

1 **4 courgettes moyennes**

2 **Thon** égoutté
3 boîtes de 170 g chacune

3 **Céleri**
2 branches coupées en dés

4 **Moutarde de Dijon crémeuse**
125 ml (½ tasse)

5 **Mélange de cheddars râpés**
375 ml (1 ½ tasse)

À l'avance

1. Couper les courgettes en deux sur la longueur. À l'aide d'une cuillère parisienne, évider le centre des courgettes en laissant un pourtour libre de 1 cm (½ po).

2. Dans un bol, mélanger le thon avec le céleri et la moutarde. Saler et poivrer.

3. Dans un plat de cuisson, déposer les courgettes. Farcir les courgettes avec la préparation au thon et les couvrir de fromage.

4. Couvrir le plat d'une pellicule plastique, puis d'une feuille de papier d'aluminium. Congeler.

La veille du repas

1. Laisser décongeler les courgettes farcies au réfrigérateur.

Au moment du repas

1. Préchauffer le four à 190 °C (375 °F).

2. Retirer le papier d'aluminium et la pellicule plastique du plat. Remettre le papier d'aluminium sur le plat.

3. Cuire au four de 25 à 30 minutes. Retirer le papier d'aluminium et poursuivre la cuisson environ 10 minutes, jusqu'à ce que l'intérieur du plat soit chaud et que le fromage soit doré.

EN COMPLÉMENT

Salsa de tomates

89 calories par portion

Couper en dés 3 tomates italiennes épépinées, ½ petit oignon rouge et ½ poivron jaune. Dans un bol, mélanger les dés de légumes avec 30 ml (2 c. à soupe) de persil frais haché, 15 ml (1 c. à soupe) de basilic frais haché et 30 ml (2 c. à soupe) d'huile d'olive. Saler, poivrer et remuer.

1 **Choux de Bruxelles**
600 g (environ 1 ⅓ lb)

2 **Mayonnaise**
160 ml (⅔ de tasse)

3 **Mélange pour vinaigrette et trempette ranch**
½ sachet de 28 g

4 **Mélange de fromages italiens râpés**
500 ml (2 tasses)

5 **Saumon**
1 filet de 675 g (1 ½ lb), la peau enlevée et coupé en quatre

PAR PORTION	
Calories	844
Protéines	53 g
Matières grasses	62 g
Glucides	19 g
Fibres	6 g
Fer	3 mg
Calcium	471 mg
Sodium	1195 mg

Saumon gratiné à la ranch

Préparation **15 minutes** • Cuisson **23 minutes (+ 20 minutes pour réchauffer)**
Quantité **4 portions**

À l'avance

1. Préchauffer le four à 205 °C (400 °F).

2. Dans une casserole d'eau bouillante salée, cuire les choux de Bruxelles de 3 à 4 minutes. Égoutter.

3. Couper les choux de Bruxelles en deux.

4. Dans un bol, mélanger la mayonnaise avec le mélange pour vinaigrette et trempette ranch et le tiers du fromage.

5. Dans un plat de cuisson, déposer les filets de saumon. Couvrir de la préparation à la mayonnaise, puis du reste du fromage.

6. Déposer les choux de Bruxelles autour des filets de saumon. Arroser d'un peu d'huile d'olive. Saler et poivrer.

7. Cuire au four de 18 à 23 minutes.

8. Régler le four à la position « gril » (*broil*) et poursuivre la cuisson 2 minutes.

9. Retirer du four et laisser tiédir, puis refroidir au réfrigérateur. Couvrir le plat d'une pellicule plastique, puis d'une feuille de papier d'aluminium. Congeler.

La veille du repas

1. Laisser décongeler le saumon gratiné au réfrigérateur.

Au moment du repas

1. Préchauffer le four à 190 °C (375 °F).

2. Retirer le papier d'aluminium et la pellicule plastique du plat. Remettre le papier d'aluminium sur le plat.

3. Réchauffer au four de 10 à 15 minutes. Retirer le papier d'aluminium et poursuivre la cuisson environ 10 minutes, jusqu'à ce que l'intérieur du plat soit chaud et que le fromage soit doré.

Ciabatta aux crevettes et fromage

Préparation **15 minutes** • Cuisson **10 minutes (+ 15 minutes pour réchauffer)**
Quantité **4 portions**

PAR PORTION	
Calories	582
Protéines	33 g
Matières grasses	33 g
Glucides	36 g
Fibres	3 g
Fer	3 mg
Calcium	396 mg
Sodium	1468 mg

1 **Beurre à l'ail**
fondu
80 ml (⅓ de tasse)

2 **Crevettes nordiques**
450 g (750 ml)

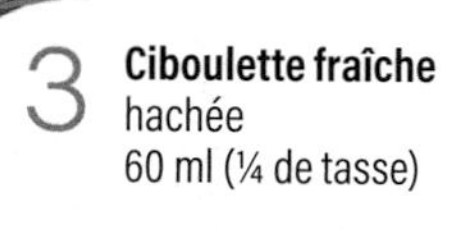

3 **Ciboulette fraîche**
hachée
60 ml (¼ de tasse)

4 **1 petite baguette ciabatta**

5 **Monterey Jack**
râpé
375 ml (1 ½ tasse)

À l'avance

1. Préchauffer le four à 180 °C (350 °F).

2. Dans un bol, mélanger le beurre à l'ail avec les crevettes et la ciboulette. Saler et poivrer.

3. Couper la baguette en deux sur l'épaisseur, puis couper chaque demi-baguette en deux sur la longueur.

4. Garnir les baguettes de préparation aux crevettes et couvrir de Monterey Jack.

5. Dans un grand plat de cuisson, déposer les baguettes. Cuire au four de 8 à 10 minutes.

6. Régler le four à la position « gril » (*broil*) et poursuivre la cuisson 2 minutes.

7. Retirer du four et laisser tiédir, puis refroidir au réfrigérateur. Couvrir le plat d'une pellicule plastique, puis d'une feuille de papier d'aluminium. Congeler.

La veille du repas

1. Laisser décongeler les ciabattas au réfrigérateur.

Au moment du repas

1. Préchauffer le four à 190 °C (375 °F).

2. Retirer le papier d'aluminium et la pellicule plastique du plat. Remettre le papier d'aluminium sur le plat.

3. Réchauffer au four de 5 à 10 minutes. Retirer le papier d'aluminium et poursuivre la cuisson environ 10 minutes, jusqu'à ce que l'intérieur du plat soit chaud et que le fromage soit doré.

Casserole de riz, brocoli et pois chiches

Préparation **15 minutes** • Cuisson **23 minutes (+ 50 minutes pour réchauffer)**
Quantité **4 portions**

PAR PORTION	
Calories	612
Protéines	26 g
Matières grasses	18 g
Glucides	87 g
Fibres	7 g
Fer	2 mg
Calcium	398 mg
Sodium	969 mg

1 **Riz blanc à grains longs**
rincé et égoutté
375 ml (1 ½ tasse)

2 **Bouillon de poulet réduit en sodium**
875 ml (3 ½ tasses)

3 **Pois chiches**
rincés et égouttés
1 boîte de 540 ml

4 **Brocoli**
coupé en petits bouquets
500 ml (2 tasses)

5 **Mélange de cheddars râpés**
375 ml (1 ½ tasse)

PRÉVOIR AUSSI :
- **1 oignon**
haché

À l'avance

1. Préchauffer le four à 190 °C (375 °F).

2. Dans une casserole allant au four, chauffer un peu d'huile d'olive à feu moyen. Cuire l'oignon 1 minute.

3. Ajouter le riz et le bouillon. Porter à ébullition. Saler et poivrer.

4. Couvrir et poursuivre la cuisson au four de 10 à 12 minutes.

5. Ajouter les pois chiches et le brocoli. Couvrir et prolonger la cuisson de 10 à 12 minutes, jusqu'à absorption presque complète du liquide.

6. Couvrir de mélange de cheddars. Régler le four à la position « gril » (*broil*) et faire gratiner de 2 à 3 minutes.

7. Retirer du four et laisser tiédir, puis refroidir au réfrigérateur. Couvrir le plat d'une pellicule plastique, puis d'une feuille de papier d'aluminium. Congeler.

La veille du repas

1. Laisser décongeler la casserole au réfrigérateur.

Au moment du repas

1. Préchauffer le four à 190 °C (375 °F).

2. Retirer le papier d'aluminium et la pellicule plastique du plat. Remettre le papier d'aluminium sur le plat.

3. Réchauffer au four de 40 minutes à 1 heure. Retirer le papier d'aluminium et poursuivre la cuisson environ 10 minutes, jusqu'à ce que l'intérieur du plat soit chaud et que le fromage soit doré.

Patates farcies végé gratinées

Préparation **15 minutes** • Cuisson **30 minutes (+ 20 minutes pour réchauffer)**
Quantité **4 portions**

PAR PORTION	
Calories	574
Protéines	27 g
Matières grasses	27 g
Glucides	58 g
Fibres	7 g
Fer	5 mg
Calcium	407 mg
Sodium	284 mg

1 **4 grosses pommes de terre** pelées

2 **Lentilles vertes** rincées et égouttées
1 boîte de 398 ml

3 **Bébés épinards** émincés
375 ml (1 ½ tasse)

4 **Fromage crémeux ail et fines herbes** ramolli
1 paquet de 150 g

5 **Emmental** râpé
375 ml (1 ½ tasse)

FACULTATIF :
- **Oignon vert** haché au goût

À l'avance

1. Préchauffer le four à 205 °C (400 °F).

2. À l'aide d'une fourchette, piquer les pommes de terre à plusieurs endroits. Cuire au micro-ondes 10 minutes à puissance élevée, jusqu'à tendreté.

3. Dans un bol, mélanger les lentilles avec les épinards et le fromage crémeux.

4. Couper les pommes de terre en deux sur la longueur, puis les évider en conservant environ 0,5 cm (¼ de po) d'épaisseur de chair. Déposer la chair retirée dans le bol contenant la préparation aux lentilles et remuer.

5. Garnir les pommes de terre de préparation aux lentilles, puis couvrir d'emmental.

6. Dans un plat de cuisson, déposer les pommes de terre farcies. Cuire au four de 20 à 25 minutes.

7. Retirer du four et laisser tiédir, puis refroidir au réfrigérateur. Couvrir le plat d'une pellicule plastique, puis d'une feuille de papier d'aluminium. Congeler.

La veille du repas

1. Laisser décongeler les patates farcies au réfrigérateur.

Au moment du repas

1. Préchauffer le four à 190 °C (375 °F).

2. Retirer le papier d'aluminium et la pellicule plastique du plat. Remettre le papier d'aluminium sur le plat.

3. Réchauffer au four de 10 à 15 minutes. Retirer le papier d'aluminium et poursuivre la cuisson environ 10 minutes, jusqu'à ce que l'intérieur du plat soit chaud et que le fromage soit doré.

Casserole de saucisses, brocoli et chou-fleur

Préparation **15 minutes** • Cuisson **24 minutes (+ 30 minutes pour réchauffer)**
Quantité **4 portions**

PAR PORTION	
Calories	748
Protéines	41 g
Matières grasses	59 g
Glucides	14 g
Fibres	3 g
Fer	43 mg
Calcium	432 mg
Sodium	1422 mg

1 **Mélange duo de fleurettes de brocoli et de chou-fleur surgelées**
1 sac de 500 g

2 **Saucisses de Toulouse**
coupées en tronçons de 1 cm (½ po)
450 g (1 lb)

3 **Fromage à la crème**
ramolli
1 paquet de 250 g

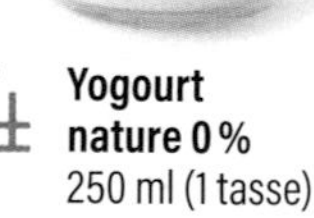

4 **Yogourt nature 0 %**
250 ml (1 tasse)

5 **Mélange de quatre fromages râpés**
375 ml (1 ½ tasse)

PRÉVOIR AUSSI :
- **Moutarde à l'ancienne**
30 ml (2 c. à soupe)

À l'avance

1. Préchauffer le four à 205 °C (400 °F).

2. Dans une casserole d'eau bouillante salée, cuire les fleurettes de brocoli et de chou-fleur et les saucisses de 4 à 5 minutes. Égoutter.

3. Dans un bol, mélanger le fromage à la crème avec le yogourt et la moutarde.

4. Ajouter le brocoli, le chou-fleur et les saucisses dans le bol. Saler, poivrer et remuer.

5. Transférer la préparation dans un plat de cuisson de 33 cm x 23 cm (13 po x 9 po), puis couvrir de fromage. Cuire au four de 18 à 23 minutes.

6. Régler le four à la position à « gril » (*broil*) et poursuivre la cuisson 2 minutes.

7. Retirer du four et laisser tiédir, puis refroidir au réfrigérateur. Couvrir le plat d'une pellicule plastique, puis d'une feuille de papier d'aluminium. Congeler.

La veille du repas

1. Laisser décongeler la casserole au réfrigérateur.

Au moment du repas

1. Préchauffer le four à 205 °C (400 °F).

2. Retirer le papier d'aluminium et la pellicule plastique du plat. Remettre le papier d'aluminium sur le plat.

3. Réchauffer au four de 20 à 30 minutes. Retirer le papier d'aluminium et poursuivre la cuisson environ 10 minutes, jusqu'à ce que l'intérieur du plat soit chaud et que le fromage soit doré.

Casserole de saucisses et chou

Préparation **15 minutes** • Cuisson **23 minutes (+ 30 minutes pour réchauffer)**
Quantité **4 portions**

PAR PORTION	
Calories	536
Protéines	30 g
Matières grasses	34 g
Glucides	28 g
Fibres	5 g
Fer	2 mg
Calcium	338 mg
Sodium	1628 mg

1 **Saucisse bacon et cheddar**
450 g (1 lb)

2 **Mélange de légumes frais pour sauce à spaghetti**
500 ml (2 tasses)

3 **Chou vert**
émincé
750 ml (3 tasses)

4 **Sauce tomate et basilic**
625 ml (2 ½ tasses)

5 **Mozzarella**
râpée
375 ml (1 ½ tasse)

À l'avance

1. Préchauffer le four à 205 °C (400 °F).

2. Dans une casserole, chauffer un peu d'huile d'olive à feu moyen. Faire dorer les saucisses de 1 à 2 minutes.

3. Ajouter le mélange de légumes et poursuivre la cuisson 2 minutes.

4. Ajouter le chou et la sauce. Porter à ébullition. Saler et poivrer.

5. Transférer la préparation dans un plat de cuisson de 33 cm x 23 cm (13 po x 9 po), puis couvrir de mozzarella. Cuire au four de 18 à 23 minutes.

6. Régler le four à la position « gril » (*broil*) et poursuivre la cuisson 2 minutes.

7. Retirer du four et laisser tiédir, puis refroidir au réfrigérateur. Couvrir le plat d'une pellicule plastique, puis d'une feuille de papier d'aluminium. Congeler.

La veille du repas

1. Laisser décongeler la casserole au réfrigérateur.

Au moment du repas

1. Préchauffer le four à 205 °C (400 °F).

2. Retirer le papier d'aluminium et la pellicule plastique du plat. Remettre le papier d'aluminium sur le plat.

3. Réchauffer au four de 20 à 30 minutes. Retirer le papier d'aluminium et poursuivre la cuisson environ 10 minutes, jusqu'à ce que l'intérieur du plat soit chaud et que le fromage soit doré.

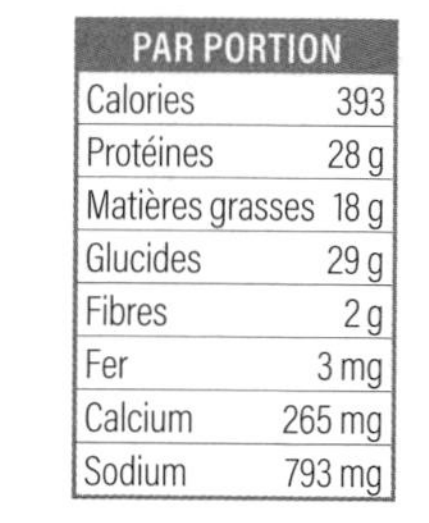

1 **Bœuf haché extra-maigre**
450 g (1 lb)

2 **1 poivron vert**
coupé en dés

3 **Crème de champignons condensée**
1 boîte de 284 ml

4 **Mozzarella**
râpée
375 ml (1 ½ tasse)

5 **6 pains à hamburger**

PRÉVOIR AUSSI :
- **1 oignon** haché

Pains au bœuf haché

Préparation **15 minutes** • Cuisson **11 minutes (+ 5 minutes pour réchauffer)**
Quantité **6 portions**

PAR PORTION	
Calories	393
Protéines	28 g
Matières grasses	18 g
Glucides	29 g
Fibres	2 g
Fer	3 mg
Calcium	265 mg
Sodium	793 mg

À l'avance

1. Dans une poêle, chauffer un peu d'huile d'olive à feu moyen. Cuire le bœuf haché de 5 à 7 minutes en égrainant la viande à l'aide d'une cuillère en bois, jusqu'à ce qu'elle ait perdu sa teinte rosée.

2. Ajouter le poivron et l'oignon. Cuire de 1 à 2 minutes.

3. Ajouter la crème de champignons et porter à ébullition. Laisser mijoter de 5 à 8 minutes à feu moyen en remuant de temps en temps, jusqu'à évaporation presque complète du liquide. Retirer du feu et laisser tiédir.

4. Transférer la préparation à la viande dans un contenant hermétique. Congeler.

La veille du repas

1. Laisser décongeler la préparation à la viande au réfrigérateur.

Au moment du repas

1. Préchauffer le four à 180 °C (350 °F).

2. Transférer la préparation à la viande dans un plat de cuisson et couvrir de mozzarella. Cuire au four 3 minutes.

3. Régler le four à la position « gril » (*broil*) et poursuivre la cuisson 2 minutes.

4. Garnir les pains à hamburger de préparation à la viande.

1 **2 gros oignons rouges**
émincés

2 **Tilapia**
4 filets de 150 g (⅓ de lb) chacun

3 **Bouillon de légumes**
180 ml (¾ de tasse)

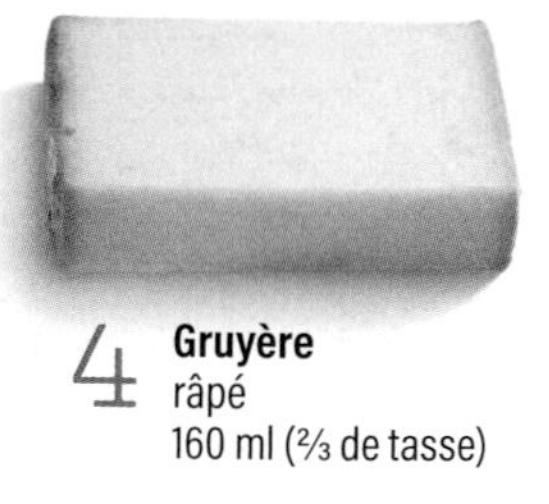

4 **Gruyère**
râpé
160 ml (⅔ de tasse)

5 **Chapelure panko**
125 ml (½ tasse)

Casserole de poisson et oignons caramélisés

Préparation **15 minutes** • Cuisson **23 minutes (+ 12 minutes pour réchauffer)**
Quantité **4 portions**

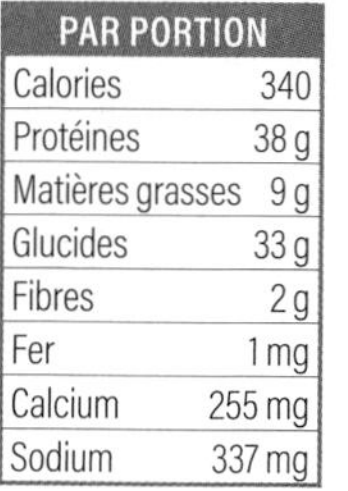

PAR PORTION	
Calories	340
Protéines	38 g
Matières grasses	9 g
Glucides	33 g
Fibres	2 g
Fer	1 mg
Calcium	255 mg
Sodium	337 mg

À l'avance

1. Préchauffer le four à 205 °C (400 °F).

2. Dans une poêle, chauffer un peu d'huile d'olive à feu moyen. Cuire les oignons et le sirop d'érable de 5 à 7 minutes en remuant fréquemment, jusqu'à ce que les oignons soient caramélisés. Saler et poivrer.

3. Dans un plat de cuisson de 33 cm x 23 cm (13 po x 9 po), déposer les filets de poisson. Ajouter le bouillon. Couvrir d'oignons caramélisés, puis de gruyère. Cuire au four de 16 à 18 minutes.

4. Régler le four à la position « gril » (*broil*) et poursuivre la cuisson 2 minutes.

5. Retirer du four et laisser tiédir, puis refroidir au réfrigérateur. Couvrir le plat d'une pellicule plastique, puis d'une feuille de papier d'aluminium. Congeler.

La veille du repas

1. Laisser décongeler la casserole au réfrigérateur.

Au moment du repas

1. Préchauffer le four à 190 °C (375 °F).

2. Retirer le papier d'aluminium et la pellicule plastique du plat. Garnir de chapelure.

3. Réchauffer au four de 12 à 15 minutes, jusqu'à ce que l'intérieur du plat soit chaud et que le fromage soit doré.

PRÉVOIR AUSSI :
- **Sirop d'érable**
  45 ml (3 c. à soupe)

Casserole Cape Cod

Préparation **15 minutes** • Cuisson **38 minutes (+ 35 minutes pour réchauffer)**
Quantité **6 portions**

PAR PORTION	
Calories	398
Protéines	21 g
Matières grasses	15 g
Glucides	42 g
Fibres	2 g
Fer	3 mg
Calcium	343 mg
Sodium	1465 mg

1 **Riz basmati** rincé et égoutté 250 ml (1 tasse)

2 **Sauce Alfredo à l'ail rôti** 625 ml (2 ½ tasses)

3 **Mélange de fruits de mer cocktail surgelés** décongelés 1 contenant de 454 g

4 **Asperges** coupées en tronçons 300 g (⅔ de lb)

5 **Parmesan** râpé 375 ml (1 ½ tasse)

À l'avance

1. Préchauffer le four à 205 °C (400 °F).

2. Dans une casserole, déposer le riz et 500 ml (2 tasses) d'eau. Porter à ébullition, puis couvrir et cuire de 18 à 20 minutes à feu doux-moyen, jusqu'à absorption complète du liquide.

3. Dans un bol, mélanger la sauce Alfredo avec les fruits de mer, le riz et les asperges.

4. Transférer la préparation dans un plat de cuisson. Couvrir de parmesan. Cuire au four de 18 à 23 minutes.

5. Régler le four à la position « gril » (*broil*) et poursuivre la cuisson 2 minutes.

6. Retirer du four et laisser tiédir, puis refroidir au réfrigérateur. Couvrir le plat d'une pellicule plastique, puis d'une feuille de papier d'aluminium. Congeler.

La veille du repas

1. Laisser décongeler la casserole au réfrigérateur.

Au moment du repas

1. Préchauffer le four à 190 °C (375 °F).

2. Retirer le papier d'aluminium et la pellicule plastique du plat. Remettre le papier d'aluminium sur le plat.

3. Réchauffer au four de 25 à 30 minutes. Retirer le papier d'aluminium et poursuivre la cuisson environ 10 minutes, jusqu'à ce que l'intérieur du plat soit chaud et que le fromage soit doré.

Casserole d'enchiladas au bœuf et patates douces

Préparation **15 minutes** • Cuisson **35 minutes (+ 45 minutes pour réchauffer)**
Quantité **4 portions**

PAR PORTION	
Calories	585
Protéines	47 g
Matières grasses	23 g
Glucides	50 g
Fibres	15 g
Fer	6 mg
Calcium	470 mg
Sodium	1956 mg

1 **Bœuf haché extra-maigre**
450 g (1 lb)

2 **2 patates douces moyennes**
pelées et coupées en petits cubes

3 **Haricots noirs**
rincés et égouttés
1 boîte de 540 ml

4 **Salsa douce**
750 ml (3 tasses)

5 **Monterey Jack avec jalapenos**
râpé
375 ml (1 ½ tasse)

À l'avance

1. Préchauffer le four à 205 °C (400 °F).

2. Dans une poêle allant au four, chauffer un peu d'huile d'olive à feu moyen. Cuire le bœuf haché de 5 à 7 minutes en égrainant la viande à l'aide d'une cuillère en bois, jusqu'à ce qu'elle ait perdu sa teinte rosée.

3. Ajouter les patates douces, les haricots et la salsa. Porter à ébullition.

4. Couvrir de Monterey Jack. Poursuivre la cuisson au four de 28 à 33 minutes.

5. Régler le four à la position « gril » (*broil*) et prolonger la cuisson de 2 minutes. Retirer du four et laisser tiédir.

6. Transférer la préparation dans un plat de cuisson. Laisser refroidir au réfrigérateur.

7. Couvrir le plat d'une pellicule plastique, puis d'une feuille de papier d'aluminium. Congeler.

La veille du repas

1. Laisser décongeler la casserole au réfrigérateur.

Au moment du repas

1. Préchauffer le four à 190 °C (375 °F).

2. Retirer le papier d'aluminium et la pellicule plastique du plat. Remettre le papier d'aluminium sur le plat.

3. Réchauffer au four de 35 à 50 minutes. Retirer le papier d'aluminium et poursuivre la cuisson environ 10 minutes, jusqu'à ce que l'intérieur du plat soit chaud et que le fromage soit doré.

EN COMPLÉMENT

Pico de gallo

88 calories par portion

Couper en dés 3 tomates italiennes épépinées, ½ petit oignon rouge et 1 jalapeno. Dans un bol, mélanger les légumes avec 30 ml (2 c. à soupe) de coriandre fraîche hachée, 30 ml (2 c. à soupe) d'huile d'olive ainsi que le zeste et le jus de 1 lime. Saler et remuer.

Casserole de bœuf et courgettes

Préparation **15 minutes** • Cuisson **26 minutes (+ 45 minutes pour réchauffer)**
Quantité **4 portions**

PAR PORTION	
Calories	412
Protéines	37 g
Matières grasses	26 g
Glucides	22 g
Fibres	7 g
Fer	3 mg
Calcium	315 mg
Sodium	781 mg

1 **Bœuf haché extra-maigre**
450 g (1 lb)

2 **3 demi-poivrons de couleurs variées**
coupés en dés

3 **Sauce marinara**
625 ml (2 ½ tasses)

4 **2 courgettes moyennes**
coupées en demi-rondelles

5 **Mélange de fromages italiens râpés**
375 ml (1 ½ tasse)

À l'avance

1. Préchauffer le four à 205 °C (400 °F).

2. Dans une poêle allant au four, chauffer un peu d'huile d'olive à feu moyen. Cuire le bœuf haché de 5 à 7 minutes en égrainant la viande à l'aide d'une cuillère en bois, jusqu'à ce qu'elle ait perdu sa teinte rosée.

3. Ajouter les poivrons et cuire 1 minute.

4. Ajouter la sauce marinara et les courgettes. Saler, poivrer et porter à ébullition.

5. Couvrir de fromage. Poursuivre la cuisson au four de 18 à 20 minutes.

6. Régler le four à la position « gril » (*broil*) et prolonger la cuisson de 2 minutes. Retirer du four et laisser tiédir.

7. Transférer la préparation dans un plat de cuisson. Laisser refroidir au réfrigérateur.

8. Couvrir le plat d'une pellicule plastique, puis d'une feuille de papier d'aluminium. Congeler.

La veille du repas

1. Laisser décongeler la casserole au réfrigérateur.

Au moment du repas

1. Préchauffer le four à 190 °C (375 °F).

2. Retirer le papier d'aluminium et la pellicule plastique du plat. Remettre le papier d'aluminium sur le plat.

3. Réchauffer au four de 35 à 50 minutes. Retirer le papier d'aluminium et poursuivre la cuisson environ 10 minutes, jusqu'à ce que l'intérieur du plat soit chaud et que le fromage soit doré.

PÂTES ET PIZZAS

Oubliez les pizzas surgelées du commerce pour vous dépanner. Faites vos propres provisions ! Même chose pour les pâtes : gardez des plats de *pastas* en sauce en réserve pour faire plaisir à vos papilles les jours où tout va trop vite.

Pizza poulet au beurre

Préparation **15 minutes** • Cuisson **4 minutes (+ 27 minutes au moment du repas)**
Congélation **2 heures** • Quantité **4 portions**

PAR PORTION	
Calories	549
Protéines	35 g
Matières grasses	22 g
Glucides	55 g
Fibres	4 g
Fer	5 mg
Calcium	246 mg
Sodium	972 mg

1 **Poulet**
1 grosse poitrine sans peau de 300 g (⅔ de lb), coupée en lanières

2 **Pâte à pizza**
450 g (1 lb)

3 **Sauce de cuisson pour poulet au beurre**
1 sachet de 200 ml

4 **Mozzarella** râpée
310 ml (1 ¼ tasse)

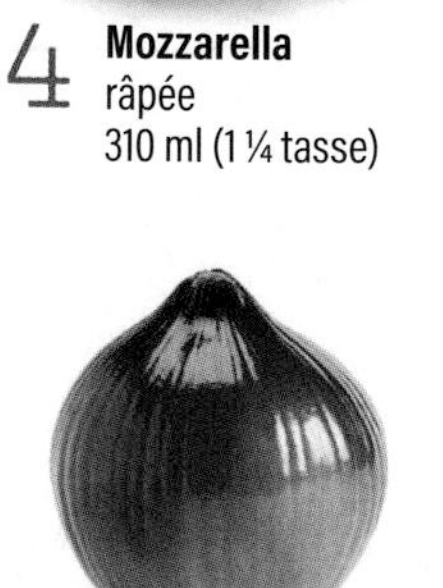

5 **½ petit oignon rouge** tranché

À l'avance

1. Dans une grande poêle, chauffer un peu d'huile d'olive à feu moyen. Cuire les lanières de poulet de 4 à 5 minutes en les retournant quelques fois en cours de cuisson, jusqu'à ce que l'intérieur de la chair du poulet ait perdu sa teinte rosée. Retirer du feu et laisser tiédir.

2. Sur un plan de travail légèrement fariné, étirer la pâte en un cercle de 36 cm (14 po) de diamètre. Déposer la pâte sur une plaque à pizza tapissée de papier parchemin.

3. Étaler la sauce pour poulet au beurre sur la pâte. Garnir des lanières de poulet, de mozzarella et d'oignon. Placer au congélateur de 2 à 3 heures.

4. Retirer la pizza de la plaque. Emballer la pizza dans une pellicule plastique. Placer de nouveau au congélateur.

Au moment du repas

1. Préchauffer le four à 205 °C (400 °F).

2. Retirer la pellicule plastique de la pizza. Déposer la pizza congelée sur une plaque à pizza tapissée de papier parchemin. Cuire au four de 25 à 30 minutes.

3. Si désiré, régler le four à la position « gril » (*broil*) et poursuivre la cuisson de 2 à 3 minutes.

TOUT SUR

Le poulet au beurre

Incontournable de la cuisine indienne, le poulet au beurre est un plat traditionnel originaire de New Delhi, la capitale de l'Inde. Le poulet est mariné dans une riche sauce au beurre tomatée aromatisée avec des notes de cari, de garam masala, de cardamome, de gingembre ou d'autres épices au parfum d'exotisme. Un vrai voyage en une bouchée ! On le mange régulièrement accompagné de riz et de pain naan, mais on aime tellement ses saveurs qu'on le voit maintenant réinventé de mille et une façons, comme dans cette pizza qui sort de l'ordinaire.

Pizza cordon bleu

Préparation **15 minutes** • Congélation **2 heures**
Cuisson **27 minutes au moment du repas** • Quantité **4 portions**

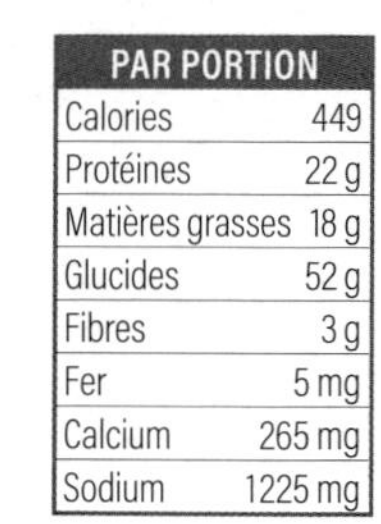

PAR PORTION	
Calories	449
Protéines	22 g
Matières grasses	18 g
Glucides	52 g
Fibres	3 g
Fer	5 mg
Calcium	265 mg
Sodium	1225 mg

1 **Pâte à pizza**
450 g (1 lb)

2 **Sauce Alfredo légère**
180 ml (¾ de tasse)

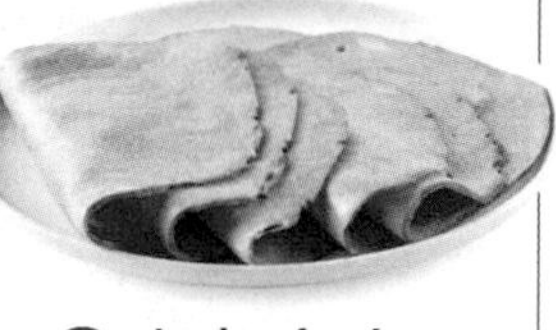

3 **Jambon fumé**
5 tranches coupées en lanières

4 **Mozzarella**
râpée
310 ml (1 ¼ tasse)

5 **Oignons verts**
hachés
60 ml (¼ de tasse)

À l'avance

1. Sur un plan de travail légèrement fariné, étirer la pâte en un rectangle de 40 cm x 28 cm (16 po x 11 po). Déposer la pâte sur une plaque à pizza tapissée de papier parchemin.

2. Étaler la sauce Alfredo sur la pâte. Garnir de lanières de jambon, de mozzarella et d'oignons verts. Placer au congélateur de 2 à 3 heures.

3. Retirer la pizza de la plaque. Emballer la pizza dans une pellicule plastique. Placer de nouveau au congélateur.

Au moment du repas

1. Préchauffer le four à 205 °C (400 °F).

2. Retirer la pellicule plastique de la pizza. Déposer la pizza congelée sur une plaque à pizza tapissée de papier parchemin. Cuire au four de 25 à 30 minutes.

3. Si désiré, régler le four à la position « gril » (*broil*) et poursuivre la cuisson de 2 à 3 minutes.

1 **8 pâtes à lasagne**

2 **Bœuf haché extra-maigre**
450 g (1 lb)

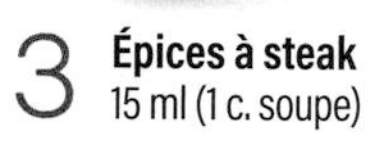

3 **Épices à steak**
15 ml (1 c. soupe)

4 **Sauce Alfredo légère**
625 ml (2 ½ tasses)

5 **Fromage suisse**
râpé
500 ml (2 tasses)

PRÉVOIR AUSSI :
- **1 oignon**
  coupé en dés
- **Ail**
  haché
  15 ml (1 c. à soupe)

Lasagnes roulées bœuf et épices à steak

Préparation **15 minutes** • Cuisson **18 minutes (+ 35 minutes pour réchauffer)**
Réfrigération **1 heure** • Quantité **4 portions**

PAR PORTION	
Calories	742
Protéines	48 g
Matières grasses	38 g
Glucides	50 g
Fibres	2 g
Fer	4 mg
Calcium	575 mg
Sodium	1719 mg

À l'avance

1. Dans une casserole d'eau bouillante, cuire les pâtes à lasagne *al dente*. Égoutter.

2. Dans la même casserole, chauffer un peu d'huile d'olive à feu moyen. Cuire le bœuf haché de 5 à 7 minutes en égrainant la viande à l'aide d'une cuillère en bois, jusqu'à ce qu'elle ait perdu sa teinte rosée.

3. Ajouter les épices à steak, l'oignon et l'ail dans la casserole. Cuire de 1 à 2 minutes.

4. Ajouter le tiers de la sauce Alfredo. Poursuivre la cuisson de 2 à 3 minutes, jusqu'à évaporation presque complète du liquide.

5. Étaler un peu de sauce Alfredo au fond d'un plat de cuisson de 33 cm x 23 cm (13 po x 9 po).

6. Sur un plan de travail, déposer les pâtes à lasagne. Répartir la préparation au bœuf, puis la moitié du fromage sur les pâtes. Rouler.

7. Déposer les lasagnes roulées dans le plat, joint dessous. Garnir du reste de la sauce Alfredo et du fromage. Laisser tiédir, puis refroidir au réfrigérateur 1 heure.

8. Couvrir le plat d'une pellicule plastique, puis d'une feuille de papier d'aluminium. Placer au congélateur.

La veille du repas

1. Laisser décongeler le plat de lasagnes roulées au réfrigérateur.

Au moment du repas

1. Préchauffer le four à 190 °C (375 °F).

2. Retirer la feuille de papier d'aluminium et la pellicule plastique du plat. Réchauffer au four de 35 à 40 minutes, jusqu'à ce que l'intérieur des lasagnes soit chaud.

1 **Saucisses italiennes douces**
300 g (⅔ de lb)

2 **Pâte à pizza**
450 g (1 lb)

3 **Confit d'oignons**
125 ml (½ tasse)

4 **Mélange de fromages italiens râpés**
310 ml (1 ¼ tasse)

5 **5 à 6 asperges** coupées en tronçons

PAR PORTION	
Calories	680
Protéines	27 g
Matières grasses	27 g
Glucides	61 g
Fibres	5 g
Fer	6 mg
Calcium	240 mg
Sodium	1337 mg

Pizza saucisses et confit d'oignons

Préparation **15 minutes** • Cuisson **5 minutes (+ 27 minutes au moment du repas)**
Congélation **2 heures** • Quantité **4 portions**

À l'avance

1. Retirer la membrane des saucisses, puis défaire la chair en petits morceaux.

2. Dans une grande poêle, chauffer un peu d'huile d'olive à feu moyen. Cuire la chair de saucisses de 5 à 7 minutes en égrainant la viande à l'aide d'une cuillère en bois, jusqu'à ce qu'elle ait perdu sa teinte rosée. Retirer du feu et réserver.

3. Sur un plan de travail légèrement fariné, étirer la pâte en un cercle de 36 cm (14 po) de diamètre. Déposer la pâte sur une plaque à pizza tapissée de papier parchemin.

4. Étaler le confit d'oignons sur la pâte. Garnir de chair de saucisses, de fromage et d'asperges. Saler et poivrer. Placer au congélateur de 2 à 3 heures.

5. Retirer la pizza de la plaque. Emballer la pizza dans une pellicule plastique. Placer de nouveau au congélateur.

Au moment du repas

1. Préchauffer le four à 205 °C (400 °F).

2. Retirer la pellicule plastique de la pizza. Déposer la pizza congelée sur une plaque à pizza tapissée de papier parchemin. Cuire au four de 25 à 30 minutes.

3. Si désiré, régler le four à la position « gril » (*broil*) et poursuivre la cuisson de 2 à 3 minutes.

Pizzas-pochettes au poulet ranch

Préparation **15 minutes** • Cuisson **4 minutes (+ 27 minutes au moment du repas)**
Congélation **2 heures** • Quantité **4 portions**

PAR PORTION	
Calories	544
Protéines	26 g
Matières grasses	28 g
Glucides	51 g
Fibres	3 g
Fer	5 mg
Calcium	126 mg
Sodium	1071 mg

1 **Poulet**
1 poitrine sans peau de 250 g (environ ½ lb) coupée en petits cubes

2 **Pâte à pizza**
450 g (1 lb)

3 **Vinaigrette ranch**
125 ml (½ tasse)

4 **Bacon cuit**
3 tranches coupées en morceaux

5 **Mozzarella**
râpée
125 ml (½ tasse)

À l'avance

1. Dans une grande poêle, chauffer un peu d'huile d'olive à feu moyen. Cuire les cubes de poulet sur toutes les faces de 4 à 5 minutes en remuant de temps en temps, jusqu'à ce que l'intérieur de la chair du poulet ait perdu sa teinte rosée.

2. Diviser la pâte en huit boules égales. Sur un plan de travail légèrement fariné, étirer chaque boule de pâte en un cercle de 12,5 cm (5 po) de diamètre.

3. Étaler la vinaigrette sur la moitié des cercles de pâte. Garnir de poulet, de bacon, de fromage et, si désiré, d'oignons verts.

4. Badigeonner le pourtour des cercles de pâtes de jaune d'œuf. Déposer les cercles de pâte restants sur la garniture et sceller le pourtour à l'aide d'une fourchette.

5. Déposer les pizzas-pochettes sur une plaque tapissée de papier parchemin. Placer au congélateur de 2 à 3 heures.

6. Répartir les pizzas-pochettes dans des sacs hermétiques. Retirer l'air des sacs et sceller. Placer de nouveau au congélateur.

Au moment du repas

1. Préchauffer le four à 205 °C (400 °F).

2. Déposer les pizzas-pochettes congelées sur une plaque de cuisson tapissée de papier parchemin et les badigeonner d'un peu d'huile d'olive.

3. Cuire au four de 25 à 30 minutes.

4. Si désiré, régler le four à la position « gril » (*broil*) et poursuivre la cuisson de 2 à 3 minutes.

PRÉVOIR AUSSI :
- **1 jaune d'œuf**

FACULTATIF :
- **2 oignons verts** émincés

Pizza feuilletée aux champignons et pesto

Préparation **15 minutes** • Cuisson **5 minutes (+ 25 minutes au moment du repas)**
Congélation **2 heures** • Quantité **4 portions**

1 **Champignons blancs**
tranchés
1 contenant de 227 g

2 **Pâte feuilletée surgelée**
décongelée
1 paquet de 400 g

3 **Pesto de basilic**
80 ml (⅓ de tasse)

4 **Prosciutto**
6 tranches
déchiquetées

5 **Gruyère**
râpé
375 ml (1 ½ tasse)

PAR PORTION	
Calories	703
Protéines	27 g
Matières grasses	50 g
Glucides	40 g
Fibres	5 g
Fer	3 mg
Calcium	469 mg
Sodium	1192 mg

À l'avance

1. Dans une grande poêle, chauffer un peu d'huile d'olive à feu moyen. Cuire les champignons de 5 à 7 minutes, jusqu'à ce que l'eau se soit évaporée et qu'ils soient dorés. Saler et poivrer.

2. Sur un plan de travail légèrement fariné, abaisser la pâte feuilletée en un rectangle de 23 cm x 30 cm (9 po x 12 po). Déposer la pâte sur une plaque à pizza tapissée de papier parchemin. À l'aide d'une fourchette, piquer la pâte à quelques endroits.

3. Badigeonner la pâte de pesto. Garnir de prosciutto, de gruyère et de champignons. Placer au congélateur de 2 à 3 heures.

4. Retirer la pizza de la plaque. Emballer la pizza dans une pellicule plastique. Placer de nouveau au congélateur.

Au moment du repas

1. Préchauffer le four à 220 °C (425 °F).

2. Retirer la pellicule plastique de la pizza. Déposer la pizza congelée sur une plaque à pizza tapissée de papier parchemin. Cuire au four de 25 à 30 minutes.

ASTUCE *5-15*

Congelez les restes de pesto

Le pesto n'a pas son pareil pour relever nos petits plats. Pour en avoir toujours sous la main, congelez vos restes de pesto dans des moules à glaçons. Une fois qu'ils sont gelés, démoulez les cubes ainsi obtenus et conservez-les dans un sac de congélation ou dans un plat hermétique. Vous pourrez ainsi sortir aisément la quantité dont vous avez besoin, que vous laisserez décongeler à température ambiante avant de l'ajouter à vos préparations culinaires.

1 **Tortellinis à la viande**
1 paquet de 350 g

2 **Mélange de légumes frais pour sauce à spaghetti**
500 ml (2 tasses)

3 **Sauce tomate**
500 ml (2 tasses)

4 **Herbes de Provence**
5 ml (1 c. à thé)

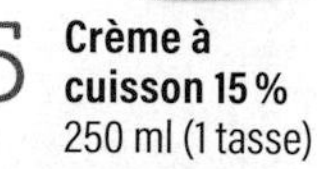

5 **Crème à cuisson 15 %**
250 ml (1 tasse)

Tortellinis sauce rosée

Préparation **15 minutes** • Cuisson **17 minutes (+ 22 minutes pour réchauffer)**
Réfrigération **1 heure** • Quantité **4 portions**

PAR PORTION	
Calories	419
Protéines	14 g
Matières grasses	16 g
Glucides	60 g
Fibres	6 g
Fer	4 mg
Calcium	117 mg
Sodium	842 mg

À l'avance

1. Dans une casserole d'eau bouillante salée, cuire les pâtes *al dente*. Égoutter.

2. Dans la même casserole, chauffer un peu d'huile d'olive à feu moyen. Cuire le mélange de légumes de 1 à 2 minutes.

3. Ajouter la sauce tomate et les herbes de Provence. Porter à ébullition, puis laisser mijoter de 6 à 8 minutes à feu doux-moyen.

4. Verser la crème dans la casserole et poursuivre la cuisson de 3 à 4 minutes.

5. Remettre les pâtes dans la casserole. Saler, poivrer et remuer. Chauffer 1 minute.

6. Transvider la préparation dans un plat de cuisson de 33 cm x 23 cm (13 po x 9 po). Laisser tiédir, puis refroidir au réfrigérateur 1 heure.

7. Couvrir le plat d'une pellicule plastique, puis d'une feuille de papier d'aluminium. Placer au congélateur.

La veille du repas

1. Laisser décongeler le plat de tortellinis au réfrigérateur.

Au moment du repas

1. Préchauffer le four à 190 °C (375 °F).

2. Retirer la feuille de papier d'aluminium et la pellicule plastique du plat. Réchauffer au four de 22 à 30 minutes, jusqu'à ce que la préparation soit chaude.

ASTUCE *5-15*

Pratiques tortellinis

Les tortellinis sont l'aliment dépanneur par excellence que l'on devrait toujours avoir en réserve au congélo. Ils s'apprêtent de mille et une façons et cuisent très rapidement, en plus d'être appréciés de toute la famille. On vous pose la question : « Qu'est-ce qu'on mange pour souper ? » ? Sortez les tortellinis, votre sauce préférée et du fromage râpé et hop! un autre repas de réglé !

1 **Farfalles**
1 litre (4 tasses)

2 **Poulet haché**
450 g (1 lb)

3 **Cœurs d'artichauts**
coupés en quartiers
1 boîte de 398 ml

4 **Bébés épinards**
500 ml (2 tasses)

5 **Parmesan**
râpé
250 ml (1 tasse)

PRÉVOIR AUSSI :
- **Bouillon de poulet**
  375 ml (1 ½ tasse)

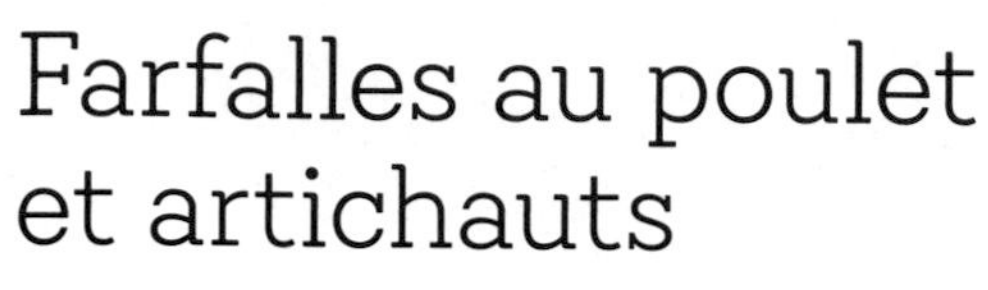

Farfalles au poulet et artichauts

Préparation **15 minutes** • Cuisson **14 minutes (+ 25 minutes pour réchauffer)**
Quantité **4 portions**

PAR PORTION	
Calories	574
Protéines	39 g
Matières grasses	18 g
Glucides	64 g
Fibres	6 g
Fer	5 mg
Calcium	270 mg
Sodium	1017 mg

À l'avance

1. Dans une casserole d'eau bouillante salée, cuire les pâtes *al dente*. Égoutter.

2. Dans la même casserole, chauffer un peu d'huile d'olive à feu moyen. Cuire le poulet haché de 4 à 5 minutes en égrainant la viande à l'aide d'une cuillère en bois, jusqu'à ce qu'elle ait perdu sa teinte rosée.

3. Ajouter le bouillon de poulet, les pâtes, les cœurs d'artichauts, les épinards et le parmesan dans la casserole. Saler, poivrer et remuer.

4. Transvider la préparation dans un plat de cuisson carré. Laisser tiédir, puis refroidir au réfrigérateur.

5. Couvrir le plat d'une pellicule plastique, puis d'une feuille de papier d'aluminium. Placer au congélateur.

La veille du repas

1. Laisser décongeler les farfalles au réfrigérateur.

Au moment du repas

1. Préchauffer le four à 205 °C (400 °F).

2. Retirer la feuille de papier d'aluminium et la pellicule plastique du plat. Remettre la feuille de papier d'aluminium sur le plat. Réchauffer au four de 25 à 30 minutes.

IDÉE POUR ACCOMPAGNER

Salade de tomates et concombre

457 calories par portion

Dans un saladier, mélanger 500 ml (2 tasses) de tomates cerises de couleurs variées coupées en deux avec ½ concombre coupé en morceaux et ½ petit oignon rouge émincé. Ajouter 125 ml (½ tasse) de vinaigrette aux oignons doux. Saler, poivrer et remuer.

1 **Rigatonis**
1,25 litre (5 tasses)

2 **Porc effiloché barbecue**
1 paquet de 400 g

3 **Sauce marinara**
375 ml (1 ½ tasse)

4 **Pâte de tomates**
30 ml (2 c. à soupe)

5 **Cheddar marbré** râpé
500 ml (2 tasses)

PRÉVOIR AUSSI :
- **Bouillon de bœuf** 125 ml (½ tasse)

Casserole de rigatonis au *pulled pork*

Préparation **15 minutes** • Cuisson **10 minutes (+ 27 minutes pour réchauffer)**
Quantité **6 portions**

PAR PORTION	
Calories	490
Protéines	25 g
Matières grasses	18 g
Glucides	64 g
Fibres	5 g
Fer	3 mg
Calcium	262 mg
Sodium	956 mg

À l'avance

1. Dans une grande casserole d'eau bouillante salée, cuire les pâtes *al dente*. Égoutter.

2. Dans la même casserole, mélanger le porc effiloché avec la sauce marinara, la pâte de tomates et le bouillon de bœuf.

3. Remettre les rigatonis dans la casserole et remuer.

4. Transvider la préparation dans un plat de cuisson. Laisser tiédir, puis refroidir au réfrigérateur.

5. Couvrir la préparation de fromage.

6. Couvrir le plat d'une pellicule plastique, puis d'une feuille de papier d'aluminium. Placer au congélateur.

La veille du repas

1. Laisser décongeler les rigatonis au réfrigérateur.

Au moment du repas

1. Préchauffer le four à 190 °C (375 °F).

2. Retirer la feuille de papier d'aluminium et la pellicule plastique du plat. Remettre la feuille de papier d'aluminium sur le plat. Réchauffer au four de 25 à 30 minutes.

3. Si désiré, retirer la feuille de papier d'aluminium. Régler le four à la position « gril » (*broil*) et poursuivre la cuisson de 2 à 3 minutes, jusqu'à ce que le fromage soit doré.

Cannellonis à la viande

Préparation **15 minutes** • Cuisson **5 minutes (+ 25 minutes au moment du repas)**
Congélation **2 heures** • Quantité **4 portions**

PAR PORTION	
Calories	558
Protéines	34 g
Matières grasses	35 g
Glucides	41 g
Fibres	6 g
Fer	3 mg
Calcium	485 mg
Sodium	865 mg

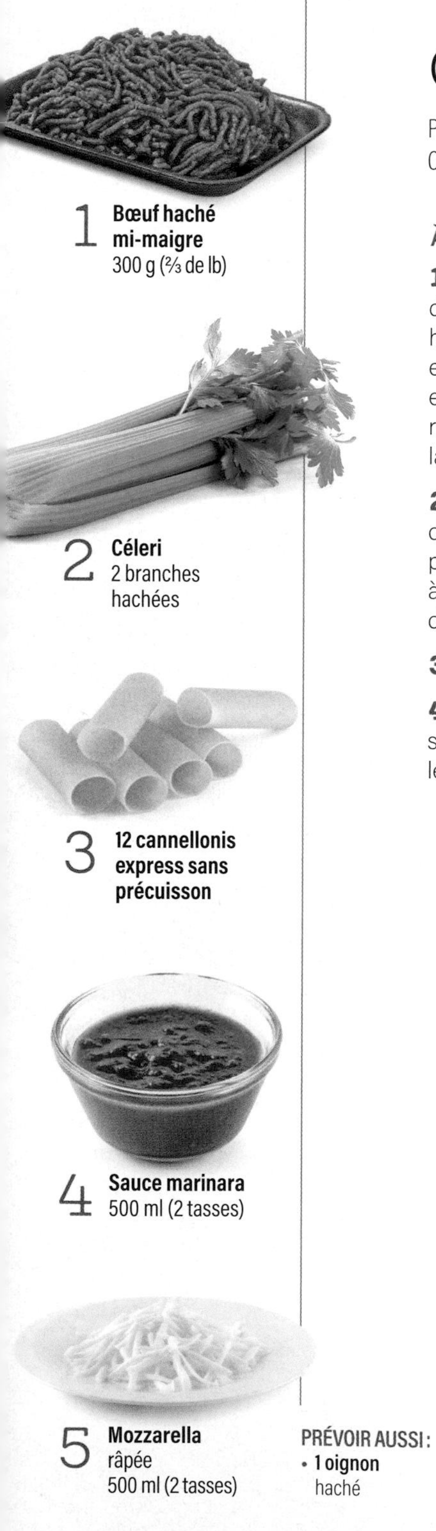

1 **Bœuf haché mi-maigre**
300 g (⅔ de lb)

2 **Céleri**
2 branches hachées

3 **12 cannellonis express sans précuisson**

4 **Sauce marinara**
500 ml (2 tasses)

5 **Mozzarella**
râpée
500 ml (2 tasses)

PRÉVOIR AUSSI :
- **1 oignon**
haché

À l'avance

1. Dans une grande poêle, chauffer un peu d'huile d'olive à feu moyen. Cuire le bœuf haché, l'oignon et le céleri de 5 à 7 minutes en égrainant la viande à l'aide d'une cuillère en bois, jusqu'à ce qu'elle ait perdu sa teinte rosée. Saler et poivrer. Retirer du feu et laisser tiédir.

2. À l'aide d'une poche à pâtisserie ou d'une cuillère, farcir les cannellonis de la préparation au bœuf, puis les déposer côte à côte sur une plaque de cuisson tapissée de papier parchemin.

3. Placer au congélateur de 2 à 3 heures.

4. Déposer les cannellonis dans un grand sac hermétique. Retirer l'air du sac et sceller. Placer de nouveau au congélateur.

La veille du repas

1. Laisser décongeler le sac de cannellonis au réfrigérateur.

Au moment du repas

1. Préchauffer le four à 190 °C (375 °F).

2. Dans un plat de cuisson, verser 250 ml (1 tasse) de sauce marinara. Déposer les cannellonis côte à côte dans le plat et couvrir du reste de la sauce. Couvrir de fromage. Cuire au four de 25 à 30 minutes.

POUR VARIER

Sauce tomate au vin rouge

130 calories par portion

Dans une casserole, chauffer un peu d'huile d'olive à feu moyen. Cuire 1 oignon haché et 15 ml (1 c. à soupe) d'ail haché de 1 à 2 minutes. Verser 125 ml (½ tasse) de vin rouge dans la casserole et chauffer jusqu'à ce que le liquide ait réduit de moitié. Ajouter 500 ml (2 tasses) de tomates broyées, 60 ml (¼ de tasse) de pâte de tomates et 10 ml (2 c. à thé) d'herbes italiennes séchées. Saler et poivrer. Porter à ébullition, puis laisser mijoter de 12 à 15 minutes à feu doux, en remuant de temps en temps.

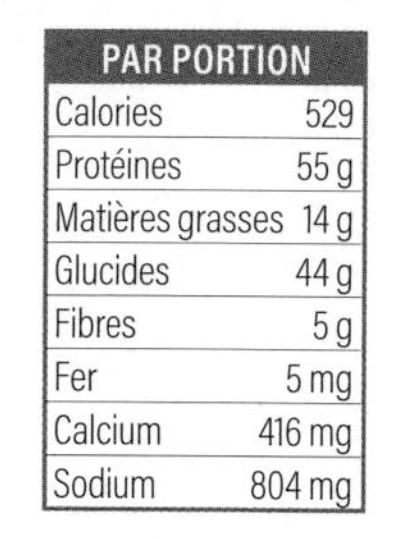

PAR PORTION	
Calories	529
Protéines	55 g
Matières grasses	14 g
Glucides	44 g
Fibres	5 g
Fer	5 mg
Calcium	416 mg
Sodium	804 mg

Pâtes au porc et chou-fleur

Préparation **15 minutes** • Cuisson **19 minutes (+ 30 minutes pour réchauffer)**
Réfrigération **1 heure** • Quantité **4 portions**

1 **Porc**
600 g (environ 1 ⅓ lb) de filet

2 **Pennes**
500 ml (2 tasses)

3 **1 petit chou-fleur**
coupé en petits bouquets

4 **Tomates en dés avec assaisonnements italiens**
1 boîte de 796 ml

5 **Mélange de fromages italiens râpés**
500 ml (2 tasses)

À l'avance

1. Parer le filet de porc en retirant la membrane blanche, puis le couper en lanières.

2. Dans une casserole d'eau bouillante salée, cuire les pâtes *al dente*. Égoutter.

3. Dans la même casserole, chauffer un peu d'huile d'olive à feu moyen. Faire dorer les lanières de porc de 1 à 2 minutes de chaque côté. Réserver dans une assiette.

4. Dans la casserole, déposer le chou-fleur. Cuire de 2 à 3 minutes.

5. Ajouter les tomates en dés et les lanières de porc. Porter à ébullition, puis laisser mijoter de 5 à 7 minutes à feu doux-moyen.

6. Ajouter les pâtes et 375 ml (1 ½ tasse) de fromage. Saler, poivrer et remuer.

7. Transvider la préparation dans un plat de cuisson de 33 cm x 23 cm (13 po x 9 po). Couvrir la préparation du reste du fromage. Laisser tiédir, puis refroidir au réfrigérateur 1 heure.

8. Couvrir le plat d'une pellicule plastique, puis d'une feuille de papier d'aluminium. Placer au congélateur.

La veille du repas

1. Laisser décongeler le plat de pâtes au réfrigérateur.

Au moment du repas

1. Préchauffer le four à 190 °C (375 °F).

2. Retirer la feuille de papier d'aluminium et la pellicule plastique du plat. Réchauffer au four de 29 à 34 minutes, jusqu'à ce que la préparation soit chaude.

3. Régler le four à la position « gril » (*broil*) et poursuivre la cuisson 1 minute.

IDÉE POUR ACCOMPAGNER

Salade d'épinards et poivrons

77 calories par portion

Dans un saladier, mélanger 500 ml (2 tasses) d'épinards avec 1 poivron orange et 1 poivron jaune coupés en lanières. Ajouter ½ petit oignon rouge émincé et 125 ml (½ tasse) de vinaigrette aux fines herbes dans le saladier. Saler, poivrer et remuer.

Coquilles géantes à la florentine

PAR PORTION	
Calories	635
Protéines	57 g
Matières grasses	25 g
Glucides	62 g
Fibres	20 g
Fer	9 mg
Calcium	370 mg
Sodium	868 mg

Préparation **15 minutes** • Cuisson **18 minutes (+ 30 minutes pour réchauffer)**
Réfrigération **1 heure** • Quantité **4 portions**

1 **16 coquilles géantes**

2 **Champignons blancs**
coupés en quatre
1 contenant de 227 g

3 **Sauce marinara**
625 ml (2 ½ tasses)

4 **Bébés épinards**
1 contenant de 142 g

5 **Mozzarella**
râpée
375 ml (1 ½ tasse)

PRÉVOIR AUSSI :
- **1 oignon**
  coupé en dés

FACULTATIF :
- **Thym séché**
  5 ml (1 c. à thé)

À l'avance

1. Dans une casserole d'eau bouillante salée, cuire les pâtes *al dente*. Égoutter.

2. Dans la même casserole, chauffer un peu d'huile d'olive à feu moyen. Cuire les champignons et l'oignon de 1 à 2 minutes.

3. Ajouter la moitié de la sauce marinara et, si désiré, le thym. Saler et poivrer. Porter à ébullition, puis laisser mijoter de 6 à 8 minutes à feu doux-moyen, jusqu'à évaporation presque complète du liquide.

4. Ajouter les épinards dans la casserole. Remuer et cuire 1 minute.

5. Dans un plat de cuisson de 33 cm x 23 cm (13 po x 9 po), verser le reste de la sauce marinara.

6. Farcir les coquilles de la préparation aux champignons et les déposer dans le plat. Couvrir de fromage. Laisser tiédir, puis refroidir au réfrigérateur 1 heure.

7. Couvrir le plat d'une pellicule plastique, puis d'une feuille de papier d'aluminium. Placer au congélateur.

La veille du repas

1. Laisser décongeler les coquilles au réfrigérateur.

Au moment du repas

1. Préchauffer le four à 190 °C (375 °F).

2. Retirer la feuille de papier d'aluminium et la pellicule plastique du plat. Réchauffer au four de 30 à 35 minutes, jusqu'à ce l'intérieur des coquilles soit chaud.

INGRÉDIENT VEDETTE

Les épinards

Saviez-vous que le qualificatif « à la florentine » d'un repas implique qu'il contient des épinards ? Ça tombe bien parce que ce légume est riche en plusieurs nutriments ! Selon la croyance populaire, il contient beaucoup de fer, mais il doit être combiné à des aliments riches en vitamine C pour être bien assimilé par le corps. Toutefois, l'épinard est bourré d'antioxydants et est une grande source de vitamines (A, B1, B2, C et K, entre autres), de minéraux (fer, magnésium, cuivre, calcium et plusieurs autres) et de fibres. Une excellente raison de cuisiner des recettes « à la florentine » plus souvent !

Calzones au poulet à la grecque

Préparation **15 minutes** • Cuisson **5 minutes (+ 30 minutes au moment du repas)**
Congélation **2 heures** • Quantité **4 portions**

PAR PORTION	
Calories	531
Protéines	33 g
Matières grasses	22 g
Glucides	57 g
Fibres	4 g
Fer	6 mg
Calcium	168 mg
Sodium	911 mg

1 **Poulet haché**
450 g (1 lb)

2 **Sauce marinara**
80 ml (⅓ de tasse)

3 **Pâte à pizza**
450 g (1 lb)

4 **Feta**
émiettée
½ contenant de 200 g

5 **Tomates séchées**
hachées
60 ml (¼ de tasse)

PRÉVOIR AUSSI :
- **1 oignon** haché

À l'avance

1. Dans une grande poêle, chauffer un peu d'huile d'olive à feu moyen. Cuire le poulet haché et l'oignon de 5 à 7 minutes en égrainant la viande à l'aide d'une cuillère en bois, jusqu'à ce qu'elle ait perdu sa teinte rosée.

2. Ajouter la sauce marinara dans la poêle et remuer. Retirer du feu et réserver.

3. Diviser la pâte en deux boules égales. Sur un plan de travail légèrement fariné, étirer chaque boule de pâte en un cercle de 25 cm (10 po) de diamètre. Déposer les cercles de pâte sur une plaque de cuisson tapissée de papier parchemin.

4. Sur la moitié de chaque cercle, répartir la préparation au poulet, la feta et les tomates séchées, en laissant un pourtour libre d'environ 2 cm (¾ de po). Humecter le pourtour de chaque cercle de pâte avec de l'eau.

5. Rabattre la pâte sur la garniture de manière à former une demi-lune. Sceller la pâte en appuyant sur le pourtour avec les doigts.

6. Badigeonner le dessus des calzones d'un peu d'huile d'olive.

7. Placer la plaque au congélateur de 2 à 3 heures.

8. Répartir les calzones dans des sacs hermétiques. Retirer l'air des sacs et sceller. Placer de nouveau au congélateur.

Au moment du repas

1. Préchauffer le four à 205 °C (400 °F).

2. Déposer les calzones congelés sur une plaque de cuisson tapissée de papier parchemin. Cuire au four de 30 à 35 minutes, jusqu'à ce que les calzones aient gonflé et soient dorés.

Pizza *Philly cheesesteak*

Préparation **15 minutes** • Cuisson **2 minutes (+ 27 minutes au moment du repas)**
Congélation **2 heures** • Quantité **4 portions**

PAR PORTION	
Calories	585
Protéines	32 g
Matières grasses	29 g
Glucides	52 g
Fibres	3 g
Fer	6 mg
Calcium	267 mg
Sodium	944 mg

1 **Bœuf à fondue**
225 g (½ lb)
de tranches

2 **Pâte à pizza**
450 g (1 lb)

3 **Fromage à la crème**
ramolli
125 ml (½ tasse)

4 **½ poivron vert**
coupé en rondelles

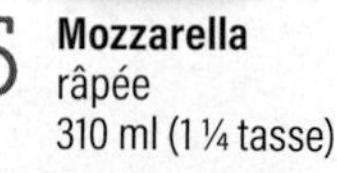

5 **Mozzarella**
râpée
310 ml (1 ¼ tasse)

FACULTATIF :
- **4 à 5 champignons blancs**
tranchés

À l'avance

1. Dans une grande poêle, chauffer un peu d'huile d'olive à feu moyen. Cuire quelques tranches de bœuf à fondue à la fois 1 minute, en les retournant à mi-cuisson. Saler et poivrer. Réserver dans une assiette.

2. Sur un plan de travail légèrement fariné, étirer la pâte en un cercle de 36 cm (14 po) de diamètre. Déposer la pâte sur une plaque à pizza tapissée de papier parchemin.

3. Tartiner le fromage à la crème sur la pâte. Garnir de tranches de bœuf à fondue, de poivron et, si désiré, de champignons. Couvrir de fromage. Placer au congélateur de 2 à 3 heures.

4. Retirer la pizza de la plaque. Emballer la pizza dans une pellicule plastique. Placer de nouveau au congélateur.

Au moment du repas

1. Préchauffer le four à 205 °C (400 °F).

2. Retirer la pellicule plastique de la pizza. Déposer la pizza congelée sur une plaque à pizza tapissée de papier parchemin. Cuire au four de 25 à 30 minutes.

3. Si désiré, régler le four à la position « gril » (*broil*) et poursuivre la cuisson de 2 à 3 minutes.

TOUT SUR

Le *Philly cheesesteak*

Comme son surnom l'indique, le *Philly cheesesteak* est originaire de la ville américaine de Philadelphie, en Pennsylvanie. Tout en simplicité, ce sandwich chaud composé de fines tranches de bœuf, de fromage fondu et bien souvent de champignons ou d'oignons sautés et servi sur une tendre baguette de pain ne manque pas de saveurs ! On raconte qu'il aurait été créé par un certain Pat Olivieri, un marchand de hot-dogs de la région, qui aurait ainsi réinventé la garniture se trouvant dans ses pains à hot-dog. Ce fut un succès ; une spécialité culinaire était née !

PAR PORTION	
Calories	640
Protéines	45 g
Matières grasses	30 g
Glucides	65 g
Fibres	8 g
Fer	4 mg
Calcium	304 mg
Sodium	1063 mg

Lasagne parmigiana

Préparation **15 minutes** • Cuisson **25 minutes (+ 40 minutes pour réchauffer)**
Réfrigération **1 heure** • Quantité **: 6 portions**

1 **9 pâtes à lasagne**

2 **Poulet haché**
600 g (environ 1 ⅓ lb)

3 **Sauce marinara**
625 ml (2 ½ tasses)

4 **Parmesan**
râpé
250 ml (1 tasse)

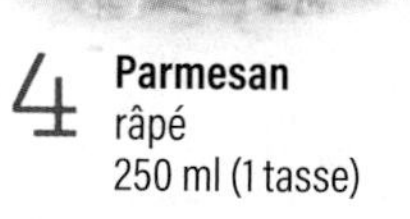

5 **Chapelure panko**
125 ml (½ tasse)

À l'avance

1. Dans une casserole d'eau bouillante salée, cuire les pâtes à lasagne *al dente*. Égoutter.

2. Dans la même casserole, chauffer un peu d'huile d'olive à feu moyen. Cuire le poulet haché de 5 à 7 minutes en égrainant la viande à l'aide d'une cuillère en bois, jusqu'à ce qu'elle ait perdu sa teinte rosée.

3. Ajouter la sauce marinara dans la casserole. Cuire de 5 à 6 minutes à feu doux-moyen.

4. Ajouter le brocoli et poursuivre la cuisson de 5 à 6 minutes.

5. Étaler un peu de préparation au poulet au fond d'un plat de cuisson de 33 cm x 23 cm (13 po x 9 po). Déposer trois pâtes à lasagne dans le plat. Couvrir de la moitié de la préparation au poulet. Répéter cette étape une fois. Couvrir des pâtes restantes, puis garnir de parmesan. Laisser tiédir, puis refroidir au réfrigérateur 1 heure.

6. Couvrir le plat d'une pellicule plastique, puis d'une feuille de papier d'aluminium. Placer au congélateur.

La veille du repas

1. Laisser décongeler le plat de lasagne au réfrigérateur.

Au moment du repas

1. Préchauffer le four à 190 °C (375 °F).

2. Retirer la feuille de papier d'aluminium et la pellicule plastique du plat. Saupoudrer la lasagne de chapelure. Réchauffer au four de 40 à 45 minutes, jusqu'à ce que l'intérieur de la lasagne soit chaud.

PRÉVOIR AUSSI :
- **Brocoli**
  haché
  375 ml (1 ½ tasse)

Lasagne de raviolis au pesto

Préparation **15 minutes** • Cuisson **13 minutes (+ 35 minutes pour réchauffer)**
Réfrigération **1 heure** • Quantité **4 portions**

PAR PORTION	
Calories	927
Protéines	43 g
Matières grasses	105 g
Glucides	62 g
Fibres	7 g
Fer	3 mg
Calcium	440 mg
Sodium	1121 mg

1 **Raviolis au fromage**
1 paquet de 350 g

2 **Pesto de basilic**
80 ml (⅓ de tasse)

3 **Porc haché mi-maigre**
450 g (1 lb)

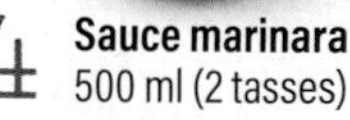

4 **Sauce marinara**
500 ml (2 tasses)

5 **Cheddar**
375 ml (1 ½ tasse)

PRÉVOIR AUSSI :
- **1 oignon** coupé en dés

À l'avance

1. Dans une casserole d'eau bouillante salée, cuire les raviolis 1 minute de moins que les indications de l'emballage. Égoutter.

2. Dans un bol, mélanger les raviolis avec le pesto. Réserver.

3. Dans la même casserole, chauffer un peu d'huile d'olive à feu moyen. Cuire le porc haché de 5 à 7 minutes en égrainant la viande à l'aide d'une cuillère en bois, jusqu'à ce qu'elle ait perdu sa teinte rosée.

4. Ajouter l'oignon dans la casserole. Cuire de 1 à 2 minutes.

5. Ajouter la sauce marinara. Poursuivre la cuisson de 7 à 8 minutes à feu doux-moyen.

6. Étaler un peu de préparation au porc au fond d'un plat de cuisson carré de 20 cm (8 po). Déposer le tiers des raviolis côte à côte dans le plat. Couvrir de la moitié de la préparation au porc. Répéter cette étape une fois. Couvrir des raviolis restants, puis de fromage. Laisser tiédir, puis refroidir au réfrigérateur 1 heure.

7. Couvrir le plat d'une pellicule plastique, puis d'une feuille de papier d'aluminium. Placer au congélateur.

La veille du repas

1. Laisser décongeler le plat de lasagne au réfrigérateur.

Au moment du repas

1. Préchauffer le four à 190 °C (375 °F).

2. Retirer la feuille de papier d'aluminium et la pellicule plastique du plat. Réchauffer au four de 35 à 45 minutes, jusqu'à ce que l'intérieur de la lasagne soit chaud.

Mac'n cheese au jambon

Préparation **15 minutes** • Cuisson **12 minutes (+ 35 minutes pour réchauffer)**
Réfrigération **1 heure** • Quantité **6 portions**

PAR PORTION	
Calories	403
Protéines	24 g
Matières grasses	16 g
Glucides	39 g
Fibres	1 g
Fer	1 mg
Calcium	369 mg
Sodium	966 mg

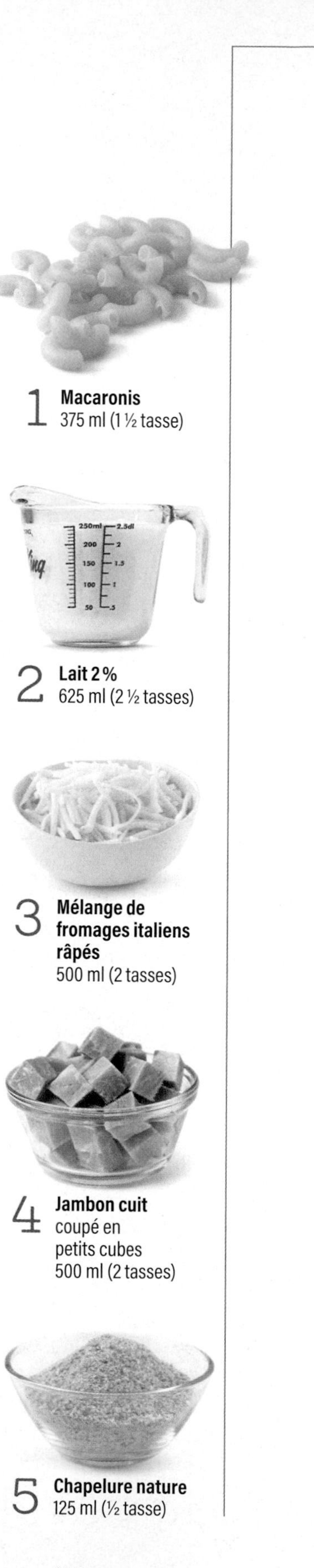

1 **Macaronis**
375 ml (1 ½ tasse)

2 **Lait 2 %**
625 ml (2 ½ tasses)

3 **Mélange de fromages italiens râpés**
500 ml (2 tasses)

4 **Jambon cuit** coupé en petits cubes
500 ml (2 tasses)

5 **Chapelure nature**
125 ml (½ tasse)

À l'avance

1. Dans une casserole d'eau bouillante salée, cuire les pâtes *al dente*. Égoutter.

2. Dans la même casserole, faire fondre le beurre à feu moyen. Saupoudrer de farine et cuire 1 minute en remuant.

3. Verser le lait dans la casserole et porter à ébullition en fouettant, jusqu'à épaississement. Ajouter le fromage et remuer jusqu'à ce qu'il soit fondu.

4. Remettre les pâtes dans la casserole et ajouter le jambon. Chauffer de 1 à 2 minutes.

5. Transvider la préparation dans un plat de cuisson carré de 20 cm (8 po). Laisser tiédir, puis refroidir au réfrigérateur 1 heure.

6. Couvrir le plat d'une pellicule plastique, puis d'une feuille de papier d'aluminium. Placer au congélateur.

La veille du repas

1. Laisser décongeler le plat de macaroni au réfrigérateur.

Au moment du repas

1. Préchauffer le four à 190 °C (375 °F).

2. Retirer la feuille de papier d'aluminium et la pellicule plastique du plat. Parsemer le macaroni de chapelure. Réchauffer au four de 35 à 45 minutes, jusqu'à ce que la préparation soit chaude.

POUR VARIER

Changez les fromages

Bien entendu, vous pouvez utiliser n'importe quel mélange de fromages du commerce dans cette classique recette de macaroni au fromage. C'est également le plat idéal pour passer vos restes de fromage. Cheddar, suisse, emmental, parmesan... Expérimentez vos propres mariages, ce sera assurément délicieux !

MOULES À MUFFINS

Macaroni au fromage et bacon, quiche, pain de viande, feuilleté aux épinards... En version mini, c'est encore plus alléchant ! On vous présente des recettes qui se cuisinent dans des moules à muffins et qui, en prime, se prêtent à merveille à la congélation. Vous n'aurez qu'à décongeler les portions selon vos besoins !

Macaroni au fromage et bacon à la ranch

Préparation **15 minutes** • Cuisson **30 minutes (+ 15 minutes pour réchauffer)**
Quantité **4 portions**

PAR PORTION	
Calories	790
Protéines	27 g
Matières grasses	53 g
Glucides	47 g
Fibres	2 g
Fer	2 mg
Calcium	48 mg
Sodium	1451 mg

1 **Macaronis**
500 ml (2 tasses)

2 **Tartinade au fromage fondu**
de type Le petit crémeux
250 ml (1 tasse)

3 **Vinaigrette ranch**
125 ml (½ tasse)

4 **3 œufs**

5 **Bacon précuit**
10 tranches
hachées

PRÉVOIR AUSSI :
- **Persil frais**
  haché
  80 ml (⅓ de tasse)

À l'avance

1. Préchauffer le four à 180 °C (350 °F).

2. Dans une casserole d'eau bouillante salée, cuire les macaronis *al dente*. Égoutter.

3. Dans un bol, mélanger la tartinade au fromage fondu avec la vinaigrette ranch, les œufs, le bacon, les macaronis et le persil. Saler, poivrer et remuer.

4. Huiler les douze alvéoles d'un moule à muffins. Répartir la préparation dans les alvéoles.

5. Cuire au four de 20 à 25 minutes, jusqu'à ce que la préparation soit prise.

6. Retirer du four et laisser tiédir, puis refroidir au réfrigérateur.

7. Répartir les coupelles de macaroni dans des sacs hermétiques. Retirer l'air des sacs et sceller. Placer au congélateur.

La veille du repas

1. Déposer la quantité désirée de coupelles de macaroni dans un plat allant au four. Couvrir le plat d'une feuille de papier d'aluminium.

2. Laisser décongeler les coupelles de macaroni au réfrigérateur.

Au moment du repas

1. Préchauffer le four à 190 °C (375 °F).

2. Réchauffer les coupelles de macaroni au four de 5 à 10 minutes.

3. Retirer la feuille de papier d'aluminium. Poursuivre la cuisson 10 minutes, jusqu'à ce que l'intérieur des coupelles de macaroni soit chaud.

OPTION VÉGÉ

Apprivoisez le tempeh

Pour rendre cette recette végé ou plus santé, il est possible de changer le bacon pour du tempeh. Comme il s'agit d'une protéine végétale moins familière que le tofu, par exemple, l'intégrer dans cette recette est une bonne façon de la découvrir. Rien de mieux que de mélanger un aliment inconnu avec un plat réconfortant comme le *mac'n cheese* pour plaire à toute la famille !

1 **24 feuilles de pâte à wontons surgelées** décongelées

2 **Poulet** 2 poitrines sans peau cuites et coupées en cubes

3 **Paprika fumé doux** 15 ml (1 c. à soupe)

4 **Sauce piquante au piment de Cayenne** de type Frank's RedHot 15 ml (1 c. à soupe)

5 **Feta** émiettée 160 ml (⅔ de tasse)

PRÉVOIR AUSSI :
- **Poudre de chili** 10 ml (2 c. à thé)

Coupelles au poulet Buffalo

Préparation **15 minutes** • Cuisson **12 minutes (+ 20 minutes pour réchauffer)**
Quantité **4 portions**

PAR PORTION	
Calories	275
Protéines	30 g
Matières grasses	9 g
Glucides	27 g
Fibres	1 g
Fer	3 mg
Calcium	138 mg
Sodium	488 mg

À l'avance

1. Préchauffer le four à 190 °C (375 °F).

2. Sur le plan de travail, déposer les feuilles de pâte à wontons. Badigeonner les feuilles d'un peu d'huile d'olive.

3. Dans les douze alvéoles d'un moule à muffins, déposer deux feuilles de pâte à wontons. Façonner les feuilles en coupelles.

4. Dans un bol, mélanger le poulet avec le paprika, la sauce piquante, la poudre de chili et un peu d'huile d'olive. Saler et remuer.

5. Répartir la préparation dans les coupelles. Garnir de feta.

6. Cuire au four de 12 à 15 minutes, jusqu'à ce que les coupelles soient dorées.

7. Retirer du four et laisser tiédir, puis refroidir au réfrigérateur.

8. Répartir les coupelles dans des sacs hermétiques. Retirer l'air des sacs et sceller. Placer au congélateur.

La veille du repas

1. Déposer la quantité désirée de coupelles dans un plat allant au four. Couvrir le plat d'une feuille de papier d'aluminium.

2. Laisser décongeler les coupelles au réfrigérateur.

Au moment du repas

1. Préchauffer le four à 190 °C (375 °F).

2. Réchauffer les coupelles au four de 10 à 15 minutes.

3. Retirer la feuille de papier d'aluminium. Poursuivre la cuisson 10 minutes, jusqu'à ce que ce l'intérieur des coupelles soit chaud.

IDÉE POUR ACCOMPAGNER

Salade aux légumes grillés et fromage bleu

233 calories par portion

Dans un saladier, mélanger 500 ml (2 tasses) de roquette avec 250 ml (1 tasse) de mélange de légumes grillés égouttés, 160 ml (⅔ de tasse) de fromage bleu émietté, 125 ml (½ tasse) de vinaigrette italienne et 30 ml (2 c. à soupe) de noix de pin.

1 **Pâte feuilletée surgelée**
décongelée
1 paquet de 400 g

2 **Chair de saucisses**
cuite
300 g (⅔ de lb)

3 **Épinards**
émincés
250 ml (1 tasse)

4 **Feta**
émiettée
80 ml (⅓ de tasse)

5 **Fromage à la crème**
ramolli
⅓ de paquet de 250 g

PRÉVOIR AUSSI :
- **1 jaune d'œuf** battu avec un peu d'eau

Mini-feuilletés à la saucisse

Préparation **15 minutes** • Cuisson **35 minutes (+ 15 minutes pour réchauffer)**
Quantité **4 portions**

PAR PORTION	
Calories	729
Protéines	21 g
Matières grasses	54 g
Glucides	39 g
Fibres	5 g
Fer	3 mg
Calcium	161 mg
Sodium	1034 mg

À l'avance

1. Préchauffer le four à 190 °C (375 °F).

2. Sur une surface légèrement farinée, abaisser la pâte feuilletée en un rectangle de 40 cm x 30 cm (16 po x 12 po). Couper la pâte feuilletée en douze carrés de 10 cm (4 po) chacun.

3. Dans les douze alvéoles d'un moule à muffins, déposer un carré de pâte. Façonner la pâte en coupelles, en laissant dépasser l'excédent de pâte. Réserver au frais.

4. Dans un bol, mélanger la chair de saucisses avec les épinards, la feta et le fromage à la crème. Poivrer et remuer.

5. Répartir la préparation dans les coupelles. Égaliser la surface.

6. Rabattre l'excédent de pâte sur la préparation. Badigeonner le dessus de la pâte de jaune d'œuf.

7. Cuire au four de 35 à 40 minutes.

8. Retirer du four et laisser tiédir, puis refroidir au réfrigérateur.

9. Répartir les mini-feuilletés dans des sacs hermétiques. Retirer l'air des sacs et sceller. Placer au congélateur.

La veille du repas

1. Déposer la quantité désirée de mini-feuilletés dans un plat allant au four. Couvrir le plat d'une feuille de papier d'aluminium.

2. Laisser décongeler les mini-feuilletés au réfrigérateur.

Au moment du repas

1. Préchauffer le four à 190 °C (375 °F).

2. Réchauffer les mini-feuilletés au four de 5 à 10 minutes.

3. Retirer la feuille de papier d'aluminium. Poursuivre la cuisson 10 minutes, jusqu'à ce que l'intérieur des mini-feuilletés soit chaud.

Lasagnes aux légumes et pesto

Préparation **15 minutes** • Cuisson **20 minutes (+ 20 minutes pour réchauffer)**
Quantité **4 portions**

PAR PORTION	
Calories	621
Protéines	26 g
Matières grasses	29 g
Glucides	67 g
Fibres	5 g
Fer	4 mg
Calcium	415 mg
Sodium	735 mg

1 **Pesto de basilic**
125 ml (½ tasse)

2 **5 tomates italiennes**
épépinées et coupées en dés

3 **1 poivron jaune**
coupé en dés

4 **12 pâtes à lasagne**
cuites

5 **Mozzarella**
râpée
500 ml (2 tasses)

PRÉVOIR AUSSI :
- **½ petit oignon rouge**
  coupé en dés

FACULTATIF :
- **6 champignons blancs**
  émincés

À l'avance

1. Préchauffer le four à 180 °C (350 °F).

2. Beurrer les douze alvéoles d'un moule à muffins.

3. Dans un bol, mélanger le pesto avec les tomates, le poivron, l'oignon et, si désiré, les champignons. Saler et poivrer.

4. Sur le plan de travail, déposer les pâtes à lasagne. Étaler un peu de préparation aux légumes et répartir la moitié du fromage sur les pâtes. Rouler.

5. Déposer les lasagnes à la verticale dans les alvéoles. Garnir du reste du fromage.

6. Cuire au four de 20 à 25 minutes.

7. Retirer du four et laisser tiédir, puis refroidir au réfrigérateur.

8. Répartir les lasagnes dans des plats hermétiques. Placer au congélateur.

La veille du repas

1. Déposer la quantité désirée de lasagnes dans un moule à muffins. Couvrir le moule d'une feuille de papier d'aluminium.

2. Laisser décongeler les lasagnes au réfrigérateur.

Au moment du repas

1. Préchauffer le four à 190 °C (375 °F).

2. Réchauffer les lasagnes au four de 10 à 20 minutes.

3. Retirer la feuille de papier d'aluminium. Poursuivre la cuisson 10 minutes, jusqu'à ce que l'intérieur des lasagnes soit chaud et que le fromage soit doré.

POUR VARIER

Une touche de tofu

Pour ajouter des protéines tout en gardant l'esprit végé de ces mini-lasagnes, ajoutez du tofu à la préparation au pesto. Pour faciliter la cuisson et le montage des pâtes, vous n'avez qu'à râper votre tofu ferme avant de l'incorporer à la préparation. Ni vu ni connu !

Mini-pains de viande au quinoa à la mexicaine

Préparation **15 minutes** • Cuisson **43 minutes (+ 10 minutes pour réchauffer)**
Quantité **6 portions**

PAR PORTION	
Calories	221
Protéines	19 g
Matières grasses	8 g
Glucides	19 g
Fibres	2 g
Fer	3 mg
Calcium	28 mg
Sodium	447 mg

1 **Quinoa**
rincé et égoutté
125 ml (½ tasse)

2 **Bœuf haché extra-maigre**
450 g (1 lb)

3 **Assaisonnements tex-mex**
15 ml (1 c. à soupe)

4 **Poudre de chili**
15 ml (1 c. à soupe)

5 **2 oignons verts**
hachés

PRÉVOIR AUSSI :
- **1 œuf**
- **Ketchup**
  180 ml (¾ de tasse)

À l'avance

1. Préchauffer le four à 180 °C (350 °F).

2. Dans une petite casserole, déposer le quinoa et 125 ml (½ tasse) d'eau.

3. Porter à ébullition. Couvrir et cuire de 18 à 20 minutes à feu doux, jusqu'à absorption complète du liquide. Retirer du feu et laisser tiédir.

4. Dans un bol, mélanger le bœuf haché avec le quinoa, les assaisonnements tex-mex, la poudre de chili, les oignons verts, l'œuf et 60 ml (¼ de tasse) de ketchup. Saler et poivrer.

5. Huiler les douze alvéoles d'un moule à muffins. Répartir la préparation dans les alvéoles. Égaliser la surface. Garnir du reste du ketchup.

6. Cuire au four de 25 à 30 minutes, jusqu'à ce que l'intérieur des mini-pains de viande ait perdu sa teinte rosée.

7. Retirer du four et laisser tiédir, puis refroidir au réfrigérateur.

8. Répartir les mini-pains de viande dans des plats hermétiques. Placer au congélateur.

La veille du repas

1. Déposer la quantité désirée de mini-pains de viande dans un plat allant au four. Couvrir le plat d'une feuille de papier d'aluminium.

2. Laisser décongeler les mini-pains de viande au réfrigérateur.

Au moment du repas

1. Préchauffer le four à 180 °C (350 °F).

2. Retirer la feuille de papier d'aluminium du plat.

3. Réchauffer les mini-pains de viande au four de 10 à 15 minutes, jusqu'à ce que ce l'intérieur soit chaud.

IDÉE POUR ACCOMPAGNER

Salade jardinière

87 calories par portion

Dans un saladier, mélanger 750 ml (3 tasses) de mélange de laitues printanier avec 125 ml (½ tasse) de vinaigrette aux tomates séchées, 12 tomates cerises de couleurs variées coupées en deux, 4 radis coupés en fines rondelles et 2 concombres libanais taillés en rubans.

1 **24 feuilles de pâte à wontons surgelées** décongelées

2 **Épinards surgelés** décongelés
1 paquet de 500 g

3 **Ricotta** 250 ml (1 tasse)

4 **Sauce à pizza** 250 ml (1 tasse)

5 **Mozzarella** râpée
375 ml (1 ½ tasse)

Wontons à la ricotta et épinards

Préparation **15 minutes** • Cuisson **15 minutes (+ 20 minutes pour réchauffer)**
Quantité **4 portions**

PAR PORTION	
Calories	418
Protéines	29 g
Matières grasses	22 g
Glucides	38 g
Fibres	5 g
Fer	5 mg
Calcium	588 mg
Sodium	754 mg

À l'avance

1. Préchauffer le four à 180 °C (350 °F).

2. Sur le plan de travail, déposer les feuilles de pâte à wontons. Badigeonner les feuilles d'un peu d'huile d'olive.

3. Dans les douze alvéoles d'un moule à muffins, déposer deux feuilles de pâte à wontons. Façonner les feuilles en coupelles.

4. Déposer les épinards dans une passoire fine et presser afin de retirer le surplus d'eau.

5. Dans un bol, mélanger les épinards avec la ricotta. Saler et poivrer.

6. Répartir la préparation aux épinards dans les coupelles. Garnir de sauce à pizza et de mozzarella.

7. Cuire au four de 15 à 18 minutes.

8. Retirer du four et laisser tiédir, puis refroidir au réfrigérateur.

9. Répartir les coupelles dans des sacs hermétiques. Retirer l'air des sacs et sceller. Placer au congélateur.

La veille du repas

1. Déposer la quantité désirée de coupelles dans un plat allant au four. Couvrir le plat d'une feuille de papier d'aluminium.

2. Laisser décongeler les coupelles au réfrigérateur.

Au moment du repas

1. Préchauffer le four à 190 °C (375 °F).

2. Réchauffer les coupelles au four de 10 à 15 minutes.

3. Retirer la feuille de papier d'aluminium. Poursuivre la cuisson 10 minutes, jusqu'à ce que l'intérieur des coupelles soit chaud et que le fromage soit doré.

POUR VARIER

Ajoutez-y du poulet !

Vous trouvez que ces petits baluchons manquent de viande ? Pour un apport supplémentaire en protéines, ajoutez à la préparation aux épinards des cubes de poulet cuits. Ce sera délicieux !

Quiches feta et épinards

Préparation **15 minutes** • Cuisson **20 minutes (+ 1 minute pour réchauffer)**
Quantité **4 portions**

PAR PORTION	
Calories	248
Protéines	17 g
Matières grasses	17 g
Glucides	5 g
Fibres	0 g
Fer	2 mg
Calcium	231 mg
Sodium	381 mg

1 **8 œufs**

2 **Crème sure 14 %**
60 ml (¼ de tasse)

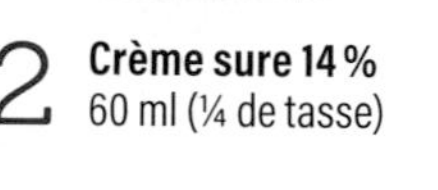

3 **2 oignons verts**
hachés

4 **Bébés épinards**
émincés
310 ml (1 ¼ tasse)

5 **Feta**
émiettée
160 ml (⅔ de tasse)

PRÉVOIR AUSSI :
- **Lait 2 %**
  125 ml (½ tasse)

À l'avance

1. Préchauffer le four à 190 °C (375 °F).

2. Dans un bol, fouetter les œufs avec le lait, la crème sure et les oignons verts. Saler et poivrer.

3. Ajouter les épinards et la feta. Remuer.

4. Huiler les douze alvéoles d'un moule à muffins. Répartir la préparation dans les alvéoles.

5. Cuire au four de 20 à 25 minutes, jusqu'à ce que la préparation soit prise.

6. Retirer du four et laisser tiédir, puis refroidir au réfrigérateur.

7. Répartir les quiches dans des sacs hermétiques. Retirer l'air des sacs et sceller. Placer au congélateur.

La veille du repas

1. Déposer la quantité désirée de quiches dans un plat allant au micro-ondes. Couvrir le plat d'une feuille de papier d'aluminium.

2. Laisser décongeler les quiches au réfrigérateur.

Au moment du repas

1. Retirer la feuille de papier d'aluminium du plat.

2. Réchauffer les quiches au micro-ondes de 1 à 2 minutes.

TOUT SUR

Les œufs

Aliment dépanneur par excellence, l'œuf a toutefois bien plus à offrir que d'être servi faute de mieux. En effet, son profil nutritionnel est à rendre jaloux tous les autres aliments du frigo ! On adore particulièrement sa teneur en protéines complètes de la plus haute qualité, qui représente un apport de 6,5 g par œuf de gros calibre. De plus, il est une source de bons gras insaturés ainsi que d'une multitude de vitamines, de minéraux et d'antioxydants. En plus, il ne coûte pratiquement rien ! Que de bonnes raisons de le consommer matin, midi et soir !

Bouchées de poulet parmigiana

Préparation **15 minutes** • Cuisson **20 minutes (+ 20 minutes pour réchauffer)**
Quantité **4 portions**

PAR PORTION	
Calories	464
Protéines	31 g
Matières grasses	16 g
Glucides	54 g
Fibres	1 g
Fer	4 mg
Calcium	244 mg
Sodium	1568 mg

1 **Pâte pour saucisses** de type Pillsbury
2 rouleaux de 200 g chacun

2 **Poulet**
2 petites poitrines sans peau cuites et coupées en cubes

3 **Herbes italiennes séchées**
5 ml (1 c. à thé)

4 **Parmesan**
râpé
250 ml (1 tasse)

5 **Sauce tomate**
250 ml (1 tasse)

PRÉVOIR AUSSI :

- **Ail**
  haché
  10 ml (2 c. à thé)
- **Échalote sèche (française)**
  hachée
  45 ml (3 c. à soupe)

À l'avance

1. Préchauffer le four à 190 °C (375 °F).

2. Huiler les douze alvéoles d'un moule à muffins. Façonner la pâte en coupelles dans les alvéoles.

3. Dans un bol, mélanger le poulet avec les herbes italiennes, l'ail, les échalotes et la moitié du parmesan. Saler et poivrer.

4. Répartir la sauce tomate dans les coupelles. Garnir de la préparation au poulet et du reste du parmesan.

5. Cuire au four de 20 à 25 minutes, jusqu'à ce que l'intérieur de la chair du poulet ait perdu sa teinte rosée.

6. Retirer du four et laisser tiédir, puis refroidir au réfrigérateur.

7. Répartir les coupelles dans des sacs hermétiques. Retirer l'air des sacs et sceller. Placer au congélateur.

La veille du repas

1. Déposer la quantité désirée de coupelles dans un plat allant au four. Couvrir le plat d'une feuille de papier d'aluminium.

2. Laisser décongeler les coupelles au réfrigérateur.

Au moment du repas

1. Préchauffer le four à 190 °C (375 °F).

2. Réchauffer les coupelles au four de 10 à 15 minutes.

3. Retirer la feuille de papier d'aluminium. Poursuivre la cuisson 10 minutes, jusqu'à ce que l'intérieur des coupelles soit chaud et que le fromage soit doré.

IDÉE POUR ACCOMPAGNER

Salade César aux amandes

427 calories par portion

Dans un bol, mélanger 250 ml (1 tasse) de croûtons pour salade César avec 125 ml (½ tasse) de vinaigrette César, 125 ml (½ tasse) de copeaux de parmesan, 30 ml (2 c. à soupe) d'amandes tranchées, 6 tranches de bacon cuites et coupées en morceaux et ½ laitue romaine déchiquetée.

Mini-pâtés chinois

Préparation **15 minutes** • Cuisson **30 minutes (+ 20 minutes pour réchauffer)**
Quantité **4 portions**

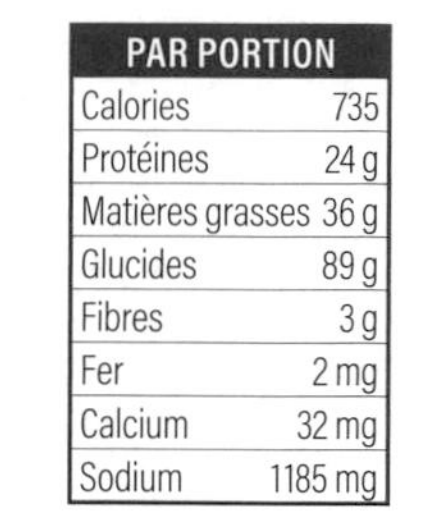

PAR PORTION	
Calories	735
Protéines	24 g
Matières grasses	36 g
Glucides	89 g
Fibres	3 g
Fer	2 mg
Calcium	32 mg
Sodium	1185 mg

1 **Bœuf haché extra-maigre**
300 g (⅔ de lb)

2 **Carotte**
râpée
125 ml (½ tasse)

3 **Pâte à tarte**
450 g (1 lb)

4 **Maïs en crème**
1 boîte de 398 ml

5 **Purée de pommes de terre**
½ contenant
de 680 g

PRÉVOIR AUSSI :
- **Échalotes sèches (françaises)**
hachées
60 ml (¼ de tasse)

À l'avance

1. Préchauffer le four à 205 °C (400 °F).

2. Dans une poêle, chauffer un peu d'huile d'olive à feu moyen. Cuire le bœuf haché, la carotte et les échalotes de 5 à 7 minutes en égrainant la viande à l'aide d'une cuillère en bois, jusqu'à ce qu'elle ait perdu sa teinte rosée. Saler et poivrer. Retirer du feu et laisser tiédir.

3. Sur une surface légèrement farinée, abaisser la pâte à tarte jusqu'à une épaisseur d'environ 3 mm (⅛ de po). Tailler douze cercles d'environ 10 cm (4 po) de diamètre dans la pâte.

4. Dans les douze alvéoles d'un moule à muffins, répartir les cercles de pâte. Façonner les cercles en coupelles.

5. Répartir la préparation au bœuf dans les coupelles. Égaliser la surface. Ajouter le maïs et couvrir de purée de pommes de terre.

6. Cuire au four de 25 à 30 minutes.

7. Retirer du four et laisser tiédir, puis refroidir au réfrigérateur.

8. Répartir les coupelles dans des sacs hermétiques. Retirer l'air des sacs et sceller. Placer au congélateur.

La veille du repas

1. Déposer la quantité désirée de mini-pâtés chinois dans un plat allant au four. Couvrir le plat d'une feuille de papier d'aluminium.

2. Laisser décongeler les mini-pâtés au réfrigérateur.

Au moment du repas

1. Préchauffer le four à 190 °C (375 °F).

2. Réchauffer les mini-pâtés chinois au four de 10 à 15 minutes.

3. Retirer la feuille de papier d'aluminium. Poursuivre la cuisson 10 minutes, jusqu'à ce l'intérieur des mini-pâtés soit chaud.

EN COMPLÉMENT

Ketchup aux fruits

115 calories par portion

Couper 2 tomates, 1 pêche, 1 poire, 1 branche de céleri, 1 oignon et 1 poivron rouge en dés. Déposer les fruits et les légumes dans une casserole. Ajouter 60 ml (¼ de tasse) d'eau, 2,5 ml (½ c. à thé) de grains de moutarde et 2,5 ml (½ c. à thé) de paprika. Porter à ébullition, puis laisser mijoter de 15 à 20 minutes à feu doux. Ajouter 60 ml (¼ de tasse) de vinaigre de cidre et 60 ml (¼ de tasse) de cassonade. Laisser mijoter de 15 à 20 minutes à feu moyen, en remuant de temps en temps.

Mini-pizzas pepperoni-fromage

Préparation **15 minutes** • Cuisson **15 minutes (+ 15 minutes pour réchauffer)**
Quantité **4 portions**

PAR PORTION	
Calories	753
Protéines	19 g
Matières grasses	42 g
Glucides	79 g
Fibres	4 g
Fer	3 mg
Calcium	231 mg
Sodium	2121 mg

1 **Pâte à petits pains feuilletés**
2 rouleaux
de 340 g chacun

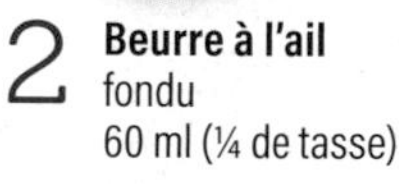

2 **Beurre à l'ail**
fondu
60 ml (¼ de tasse)

3 **Pepperoni**
125 ml (½ tasse)
de tranches coupées
en morceaux

4 **Sauce marinara au basilic**
du commerce
125 ml (½ tasse)

5 **Mozzarella**
râpée
250 ml (1 tasse)

À l'avance

1. Préchauffer le four à 205 °C (400 °F).

2. Diviser la pâte à petits pains en 20 morceaux. Couper chaque morceau en quatre.

3. Dans un bol, mélanger le beurre à l'ail avec le pepperoni, la sauce marinara et la mozzarella.

4. Ajouter les morceaux de pain dans le bol. Saler, poivrer et remuer délicatement.

5. Huiler les douze alvéoles d'un moule à muffins. Répartir la préparation dans les alvéoles.

6. Cuire au four de 15 à 18 minutes, jusqu'à ce que la préparation soit dorée.

7. Retirer du four et laisser tiédir, puis refroidir au réfrigérateur.

8. Répartir les mini-pizzas dans des sacs hermétiques. Retirer l'air des sacs et sceller. Placer au congélateur.

La veille du repas

1. Déposer la quantité désirée de mini-pizzas dans un plat allant au four. Couvrir le plat d'une feuille de papier d'aluminium.

2. Laisser décongeler les mini-pizzas au réfrigérateur.

Au moment du repas

1. Préchauffer le four à 190 °C (375 °F).

2. Réchauffer les mini-pizzas au four de 5 à 15 minutes.

3. Retirer la feuille de papier d'aluminium. Poursuivre la cuisson 10 minutes, jusqu'à ce que l'intérieur des mini-pizzas soit chaud.

VERSION MAISON

Sauce marinara

Dans une casserole, chauffer 15 ml (1 c. à soupe) d'huile d'olive à feu moyen. Cuire 1 petit oignon haché de 1 à 2 minutes. Ajouter 10 ml (2 c. à thé) d'ail haché et poursuivre la cuisson 1 minute. Ajouter 60 ml (¼ de tasse) de vin blanc et laisser mijoter jusqu'à évaporation complète du liquide. Ajouter 1 boîte de tomates en dés de 540 ml, 45 ml (3 c. à soupe) de pâte de tomates et 5 ml (1 c. à thé) d'herbes italiennes séchées. Porter à ébullition, puis laisser mijoter de 20 à 25 minutes à feu doux-moyen en remuant de temps en temps, jusqu'à ce que la sauce ait épaissi. Saler et poivrer.

Soupe minestrone

Préparation **15 minutes** • Cuisson **23 minutes (+ 5 minutes pour réchauffer)**
Quantité **6 portions**

PAR PORTION	
Calories	184
Protéines	10 g
Matières grasses	1 g
Glucides	35 g
Fibres	9 g
Fer	3 mg
Calcium	132 mg
Sodium	753 mg

1 **Mélange de légumes frais pour soupe**
1 sac de 700 g

2 **Haricots blancs** rincés et égouttés
1 boîte de 540 ml

3 **Tomates en dés**
1 boîte de 540 ml

4 **Bouillon de légumes**
1,25 litre (5 tasses)

5 **Basilic frais** émincé
60 ml (¼ de tasse)

À l'avance

1. Dans une grande casserole, chauffer un peu d'huile d'olive à feu moyen. Cuire le mélange de légumes de 3 à 4 minutes.

2. Ajouter les haricots, les tomates en dés et le bouillon de légumes. Saler et poivrer. Porter à ébullition, puis laisser mijoter de 20 à 25 minutes à feu doux-moyen.

3. Retirer du feu. Ajouter le basilic et remuer.

4. Huiler les 24 alvéoles de deux moules à muffins. Répartir la soupe dans les alvéoles. Laisser tiédir, puis refroidir au réfrigérateur.

5. Couvrir les moules à muffins d'une pellicule plastique. Placer au congélateur jusqu'à ce que la soupe soit prise.

6. Démouler. Répartir les blocs de soupe dans des sacs hermétiques. Retirer l'air des sacs et sceller. Replacer au congélateur.

La veille du repas

1. Déposer la quantité désirée de soupe dans une casserole, puis couvrir.

2. Laisser décongeler la soupe au réfrigérateur.

Au moment du repas

1. Réchauffer la soupe dans la casserole.

EN COMPLÉMENT

Croûtons au parmesan

135 calories par portion

Dans un bol, mélanger 80 ml (⅓ de tasse) de parmesan râpé avec 30 ml (2 c. à soupe) d'huile d'olive, 30 ml (2 c. à soupe) de persil frais haché et 5 ml (1 c. à thé) de poudre d'ail. Ajouter 375 ml (1 ½ tasse) de tranches de pain coupées en petits cubes. Saler et poivrer. Sur une plaque de cuisson tapissée de papier parchemin, étaler les cubes de pain. Cuire au four de 10 à 12 minutes à 180 °C (350 °F), en remuant à mi-cuisson.

Coupelles épinards et artichauts

PAR PORTION	
Calories	667
Protéines	20 g
Matières grasses	41 g
Glucides	62 g
Fibres	6 g
Fer	6 mg
Calcium	228 mg
Sodium	1506 mg

Préparation **15 minutes** • Cuisson **20 minutes (+ 20 minutes pour réchauffer)**
Quantité **4 portions**

1 **Cœurs d'artichauts**
égouttés
1 boîte de 398 ml

2 **Fromage à la crème**
ramolli
1 paquet de 250 g

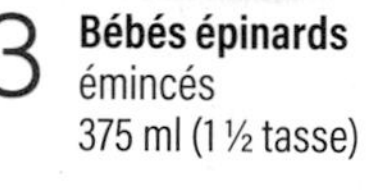

3 **Bébés épinards**
émincés
375 ml (1 ½ tasse)

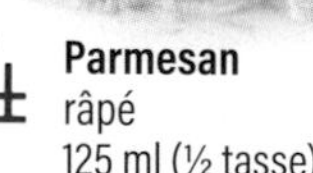

4 **Parmesan**
râpé
125 ml (½ tasse)

5 **Pâte à pizza**
450 g (1 lb)

PRÉVOIR AUSSI :

- **Mayonnaise**
  60 ml (¼ de tasse)
- **Assaisonnements pour salade**
  15 ml (1 c. à soupe)

À l'avance

1. Préchauffer le four à 205 °C (400 °F).

2. Hacher grossièrement les cœurs d'artichauts.

3. Dans un bol, mélanger le fromage à la crème avec les cœurs d'artichauts, les épinards, le parmesan, la mayonnaise et les assaisonnements pour salade. Saler et poivrer.

4. Diviser la pâte à pizza en 24 portions égales. Façonner les portions en petites boules.

5. Sur une surface légèrement farinée, abaisser les boules de pâte jusqu'à l'obtention de bandes de 12,5 cm x 2,5 cm (5 po x 1 po).

6. Huiler les douze alvéoles d'un moule à muffins. Croiser deux bandes de pâte au centre de chaque alvéole, en laissant dépasser les extrémités.

7. Répartir la préparation dans les alvéoles.

8. Cuire au four de 20 à 25 minutes.

9. Retirer du four et laisser tiédir, puis refroidir au réfrigérateur.

10. Répartir les coupelles dans des sacs hermétiques. Retirer l'air des sacs et sceller. Placer au congélateur.

La veille du repas

1. Déposer la quantité désirée de coupelles dans un plat allant au four. Couvrir le plat d'une feuille de papier d'aluminium.

2. Laisser décongeler les coupelles au réfrigérateur.

Au moment du repas

1. Préchauffer le four à 190 °C (375 °F).

2. Réchauffer les coupelles au four de 10 à 15 minutes.

3. Retirer la feuille de papier d'aluminium. Poursuivre la cuisson 10 minutes, jusqu'à ce que l'intérieur des coupelles soit chaud.

Muffins de chou-fleur au fromage

Préparation **15 minutes** • Cuisson **40 minutes (+ 15 minutes pour réchauffer)**
Quantité **6 portions**

PAR PORTION	
Calories	316
Protéines	18 g
Matières grasses	23 g
Glucides	11 g
Fibres	2 g
Fer	1 mg
Calcium	335 mg
Sodium	325 mg

1 **1 chou-fleur** coupé en petits bouquets

2 **4 œufs**

3 **Cheddar fort** râpé 500 ml (2 tasses)

4 **Thym frais** haché 15 ml (1 c. à soupe)

5 **Amandes tranchées** 125 ml (½ tasse)

PRÉVOIR AUSSI :
- **Chapelure panko** 125 ml (½ tasse)

À l'avance

1. Préchauffer le four à 205 °C (400 °F).

2. Dans une casserole, verser de l'eau jusqu'à une hauteur d'environ 2,5 cm (1 po). Déposer une marguerite dans la casserole, puis y déposer le chou-fleur. Couvrir et cuire à la vapeur de 10 à 12 minutes.

3. Transférer le chou-fleur dans le contenant du robot culinaire, puis le hacher grossièrement.

4. Dans un bol, mélanger les œufs avec le cheddar, le thym, les amandes et la chapelure.

5. Ajouter le chou-fleur dans le bol. Saler, poivrer et remuer.

6. Huiler les douze alvéoles d'un moule à muffins. Répartir la préparation dans les alvéoles.

7. Cuire au four de 30 à 35 minutes, jusqu'à ce que la préparation soit prise.

8. Retirer du four et laisser tiédir, puis refroidir au réfrigérateur.

9. Répartir les muffins dans des sacs hermétiques. Retirer l'air des sacs et sceller. Placer au congélateur.

La veille du repas

1. Déposer la quantité désirée de muffins dans un plat allant au four. Couvrir le plat d'une feuille de papier d'aluminium.

2. Laisser décongeler les muffins au réfrigérateur.

Au moment du repas

1. Préchauffer le four à 190 °C (375 °F).

2. Réchauffer les muffins au four de 5 à 10 minutes.

3. Retirer la feuille de papier d'aluminium. Poursuivre la cuisson 10 minutes, jusqu'à ce que l'intérieur des muffins soit chaud.

IDÉE POUR ACCOMPAGNER

Légumes rôtis ail et fines herbes

199 calories par portion

Sur une plaque de cuisson tapissée de papier parchemin, mélanger 450 g (1 lb) de pommes de terre grelots coupées en deux avec 3 gousses d'ail coupées en deux, 1 petit oignon rouge coupé en quartiers, 1 courgette coupée en demi-rondelles, 1 feuille de laurier, 250 ml (1 tasse) de mini-carottes, 30 ml (2 c. à soupe) d'huile d'olive, 10 ml (2 c. à thé) de thym frais haché et 10 ml (2 c. à thé) de romarin frais haché. Saler et poivrer. Étaler la préparation aux légumes sur la plaque. Cuire au four de 25 à 30 minutes à 205 °C (400 °F), en remuant à mi-cuisson.

1 **Riz** cuit 500 ml (2 tasses)

2 **Bouillon de poulet** 250 ml (1 tasse)

3 **Cheddar** râpé 375 ml (1 ½ tasse)

4 **Brocoli** coupé en petits bouquets 375 ml (1 ½ tasse)

5 **3 œufs**

PRÉVOIR AUSSI :
- **Persil frais** haché 80 ml (⅓ de tasse)

Coupelles de riz, brocoli et cheddar

Préparation **15 minutes** • Cuisson **25 minutes (+ 20 minutes pour réchauffer)**
Quantité **4 portions**

PAR PORTION	
Calories	384
Protéines	19 g
Matières grasses	22 g
Glucides	27 g
Fibres	1 g
Fer	1 mg
Calcium	400 mg
Sodium	607 mg

À l'avance

1. Préchauffer le four à 180 °C (350 °F).

2. Dans un bol, mélanger le riz avec le bouillon, la moitié du cheddar, le brocoli, les œufs et le persil. Saler et poivrer.

3. Huiler les douze alvéoles d'un moule à muffins. Répartir la préparation dans les alvéoles, puis garnir du reste du cheddar.

4. Cuire au four de 25 à 30 minutes, jusqu'à ce que la préparation soit prise.

5. Retirer du four et laisser tiédir, puis refroidir au réfrigérateur.

6. Répartir les coupelles dans des sacs hermétiques. Retirer l'air des sacs et sceller. Placer au congélateur.

La veille du repas

1. Déposer la quantité désirée de coupelles dans un plat allant au four. Couvrir le plat d'une feuille de papier d'aluminium.

2. Laisser décongeler les coupelles au réfrigérateur.

Au moment du repas

1. Préchauffer le four à 190 °C (375 °F).

2. Réchauffer les coupelles au four de 10 à 15 minutes.

3. Retirer la feuille de papier d'aluminium. Poursuivre la cuisson 10 minutes, jusqu'à ce que l'intérieur des coupelles soit chaud et que le fromage soit doré.

IDÉE POUR ACCOMPAGNER

Salade César classique

46 calories par portion

Dans un saladier, mélanger 1 litre (4 tasses) de laitue romaine déchiquetée avec 500 ml (2 tasses) de croûtons, 125 ml (½ tasse) de vinaigrette César, 125 ml (½ tasse) de bacon cuit émietté et 60 ml (¼ de tasse) de parmesan râpé.

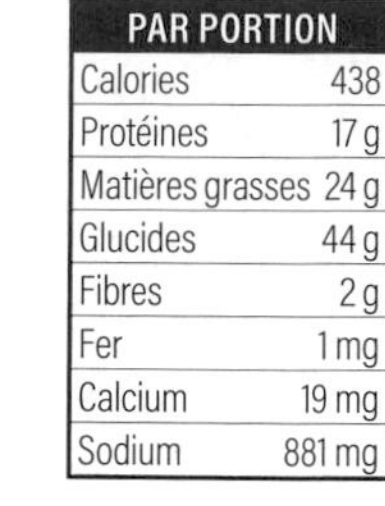

PAR PORTION	
Calories	438
Protéines	17 g
Matières grasses	24 g
Glucides	44 g
Fibres	2 g
Fer	1 mg
Calcium	19 mg
Sodium	881 mg

Mini-pâtés au poulet

Préparation **15 minutes** • Cuisson **29 minutes (+ 15 minutes pour réchauffer)**
Quantité **6 portions**

1 **Poulet**
2 petites poitrines sans peau coupées en cubes

2 **Macédoine de légumes frais**
250 ml (1 tasse)

3 **Crème de poulet condensée**
1 boîte de 284 ml

4 **Bouillon de poulet**
125 ml (½ tasse)

5 **Pâte à tarte**
450 g (1 lb)

À l'avance

1. Préchauffer le four à 190 °C (375 °F).

2. Dans une poêle, chauffer un peu d'huile d'olive à feu moyen. Cuire les cubes de poulet sur toutes les faces de 4 à 5 minutes, jusqu'à ce que l'intérieur de la chair du poulet ait perdu sa teinte rosée.

3. Ajouter la macédoine de légumes. Cuire 2 minutes.

4. Verser la crème de poulet et le bouillon. Saler et poivrer. Porter à ébullition, puis laisser mijoter de 3 à 5 minutes à feu doux-moyen. Retirer du feu et laisser tiédir.

5. Sur une surface légèrement farinée, abaisser la pâte jusqu'à une épaisseur d'environ 3 mm (⅛ de po). Tailler douze cercles d'environ 10 cm (4 po) de diamètre dans la pâte.

6. Dans les douze alvéoles d'un moule à muffins, déposer les cercles de pâte. Façonner les cercles en coupelles. Répartir la préparation dans les coupelles.

7. Cuire au four de 20 à 25 minutes.

8. Retirer du four et laisser tiédir, puis refroidir au réfrigérateur.

9. Répartir les mini-pâtés dans des sacs hermétiques. Retirer l'air des sacs et sceller. Placer au congélateur.

La veille du repas

1. Déposer la quantité désirée de mini-pâtés dans un plat allant au four. Couvrir le plat d'une feuille de papier d'aluminium.

2. Laisser décongeler les mini-pâtés au réfrigérateur.

Au moment du repas

1. Préchauffer le four à 190 °C (375 °F).

2. Réchauffer les mini-pâtés au four de 5 à 10 minutes.

3. Retirer la feuille de papier d'aluminium. Poursuivre la cuisson 10 minutes, jusqu'à ce que l'intérieur des mini-pâtés soit chaud.

Coupelles au bœuf haché barbecue

Préparation **15 minutes** • Cuisson **27 minutes (+ 20 minutes pour réchauffer)**
Quantité **6 portions**

PAR PORTION	
Calories	463
Protéines	27 g
Matières grasses	20 g
Glucides	45 g
Fibres	0 g
Fer	4 mg
Calcium	211 mg
Sodium	955 mg

1 **Bœuf haché extra-maigre**
450 g (1 lb)

2 **Échalotes sèches (françaises)**
hachées
125 ml (½ tasse)

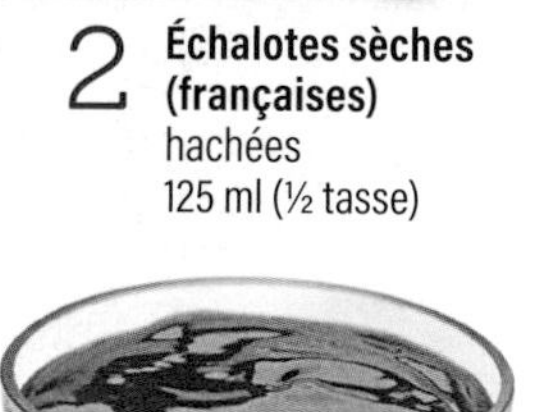

3 **Sauce barbecue**
160 ml (⅔ de tasse)

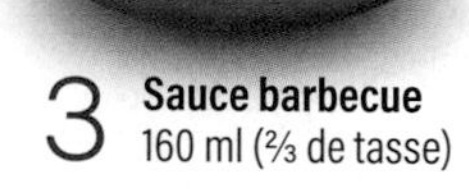

4 **Pâte pour saucisses**
de type Pillsbury
2 rouleaux de 200 g chacun

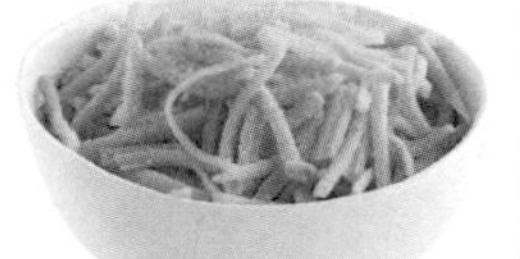

5 **Cheddar fort jaune**
râpé
375 ml (1 ½ tasse)

À l'avance

1. Préchauffer le four à 205 °C (400 °F).

2. Dans une poêle, chauffer un peu d'huile d'olive à feu moyen. Cuire le bœuf haché et les échalotes de 5 à 7 minutes en égrainant la viande à l'aide d'une cuillère en bois, jusqu'à ce qu'elle ait perdu sa teinte rosée.

3. Ajouter la sauce barbecue. Saler et poivrer. Porter à ébullition, puis laisser mijoter de 2 à 3 minutes à feu doux-moyen. Retirer du feu et laisser tiédir.

4. Dans les douze alvéoles d'un moule à muffins, façonner la pâte pour saucisses en coupelles.

5. Répartir la préparation au bœuf dans les alvéoles. Égaliser la surface. Garnir de cheddar.

6. Cuire au four de 20 à 25 minutes.

7. Retirer du four et laisser tiédir, puis refroidir au réfrigérateur.

8. Répartir les coupelles dans des sacs hermétiques. Retirer l'air des sacs et sceller. Placer au congélateur.

La veille du repas

1. Déposer la quantité désirée de coupelles dans un plat allant au four. Couvrir le plat d'une feuille de papier d'aluminium.

2. Laisser décongeler les coupelles au réfrigérateur.

Au moment du repas

1. Préchauffer le four à 190 °C (375 °F).

2. Réchauffer les coupelles au four de 10 à 15 minutes.

3. Retirer la feuille de papier d'aluminium. Poursuivre la cuisson 10 minutes, jusqu'à ce que l'intérieur des coupelles soit chaud et que le fromage soit doré.

POUR VARIER

Servir avec des quartiers de pommes de terre

Au lieu de la salade ou des traditionnelles frites, servez ces savoureuses coupelles avec des quartiers de pommes de terre assaisonnés à votre goût. Accompagnés d'une bonne mayo et de crudités, ce sera gagnant à tout coup !

1 **Chou de Savoie**
12 petites feuilles

2 **Bœuf haché extra-maigre**
300 g (⅔ de lb)

3 **Sauce tomate**
310 ml (1 ¼ tasse)

4 **Riz**
cuit
375 ml (1 ½ tasse)

Cigares au chou réinventés

Préparation **15 minutes** • Cuisson **30 minutes (+ 15 minutes pour réchauffer)**
Quantité **4 portions**

PAR PORTION	
Calories	265
Protéines	22 g
Matières grasses	8 g
Glucides	25 g
Fibres	3 g
Fer	3 mg
Calcium	48 mg
Sodium	471 mg

À l'avance

1. Préchauffer le four à 190 °C (375 °F).

2. Dans une casserole d'eau bouillante salée, faire blanchir les feuilles de chou de 5 à 7 minutes. Égoutter. Refroidir sous l'eau froide et égoutter de nouveau.

3. Pendant ce temps, chauffer un peu d'huile d'olive à feu moyen dans une poêle. Cuire le bœuf haché de 5 à 7 minutes en égrainant la viande à l'aide d'une cuillère en bois, jusqu'à ce qu'elle ait perdu sa teinte rosée. Retirer du feu.

4. Ajouter la sauce tomate, le riz et les œufs dans la poêle. Saler, poivrer et remuer.

5. Huiler les douze alvéoles d'un moule à muffins. Façonner les feuilles de chou en coupelles dans les alvéoles, en laissant dépasser l'excédent des feuilles hors des alvéoles.

6. Garnir les coupelles de la préparation au bœuf. Rabattre l'excédent des feuilles de chou sur la préparation.

7. Cuire au four 25 minutes.

8. Retirer du four et laisser tiédir, puis refroidir au réfrigérateur.

9. Répartir les cigares au chou dans des sacs hermétiques. Retirer l'air des sacs et sceller. Placer au congélateur.

La veille du repas

1. Déposer la quantité désirée de cigares au chou dans un plat allant au four. Couvrir le plat d'une feuille de papier d'aluminium.

2. Laisser décongeler les cigares au chou au réfrigérateur.

Au moment du repas

1. Préchauffer le four à 190 °C (375 °F).

2. Réchauffer les cigares au chou au four de 5 à 10 minutes.

3. Retirer la feuille de papier d'aluminium. Poursuivre la cuisson 10 minutes, jusqu'à ce que l'intérieur des cigares au chou soit chaud.

TOUT SUR

Le chou de Savoie

Membre de la famille des crucifères, le chou de Savoie se démarque par ses grandes feuilles frisées et souples, plus faciles à travailler. C'est donc le choix parfait pour façonner des cigares au chou plus facilement. Comme les autres légumes de la grande famille des choux, il renferme des composés antioxydants associés à la prévention de certains cancers. Le chou de Savoie est également une excellente source de vitamine K, en plus de fournir de la vitamine C et des folates. Son goût se rapproche du chou vert, qu'il peut d'ailleurs remplacer dans la plupart des recettes.

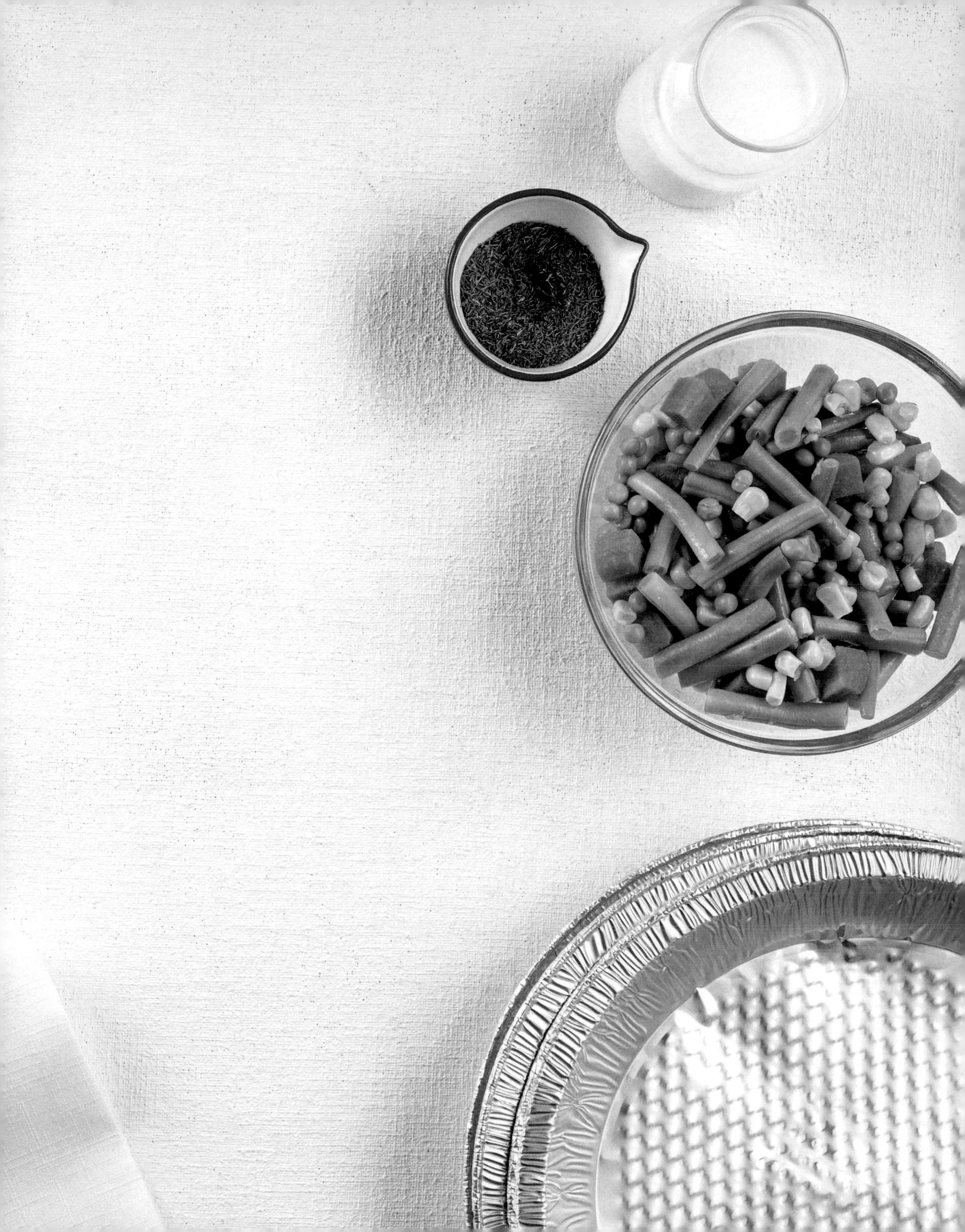

DU CONGÉLO AU FOUR

La visite débarque à l'improviste ? Pas de panique ! On ouvre le congélo, on pige dans nos réserves et on enfourne une quiche, un pâté, une tarte feuilletée ou l'une des recettes présentées dans cette section. Seule obligation : cuisiner un peu pour faire provision de ces recettes pratiques qui passent directement du congélo au four !

1 **4 pommes de terre** pelées et coupées en petits cubes

2 **Macédoine de légumes surgelée** 375 ml (1 ½ tasse)

3 **Mélange pour sauce béchamel** 2 sachets de 47 g chacun

4 **2 fonds de tarte de 23 cm (9 po) de diamètre chacun**

5 **Poulet cuit** coupé en dés 500 ml (2 tasses)

PAR PORTION	
Calories	409
Protéines	20 g
Matières grasses	15 g
Glucides	49 g
Fibres	3 g
Fer	2 mg
Calcium	148 mg
Sodium	700 mg

Pâtés au poulet classiques

Préparation **15 minutes** • Cuisson **15 minutes (+ 40 minutes au moment du repas)** • Réfrigération **1 heure** • Quantité **8 portions (2 pâtés)**

À l'avance

1. Dans une casserole d'eau bouillante salée, cuire les pommes de terre 10 minutes.

2. Ajouter la macédoine de légumes et poursuivre la cuisson 5 minutes. Égoutter.

3. Dans la même casserole, verser les sachets de mélange pour sauce béchamel et le lait. Porter à ébullition en fouettant, jusqu'à épaississement. Retirer du feu.

4. Ajouter les pommes de terre, la macédoine, le poulet et le persil dans la casserole. Remuer. Laisser tiédir, puis réfrigérer de 1 à 2 heures.

5. Répartir la préparation dans les fonds de tarte. Égaliser la surface.

6. Couvrir chaque pâté d'une pellicule plastique, puis d'une feuille de papier d'aluminium. Placer au congélateur.

Au moment du repas

1. Préchauffer le four à 190 °C (375 °F).

2. Retirer la feuille de papier d'aluminium et la pellicule plastique des pâtés. Remettre la feuille de papier d'aluminium sur les pâtés.

3. Cuire au four de 40 minutes à 1 heure, jusqu'à ce que l'intérieur des pâtés soit chaud.

IDÉE POUR ACCOMPAGNER

Salade miel et Dijon

65 calories par portion

Dans un saladier, mélanger 500 ml (2 tasses) de mélange de laitues printanier avec 125 ml (½ tasse) de vinaigrette miel et Dijon, 12 tomates cerises de couleurs variées coupées en deux, 4 radis émincés, 1 petit oignon rouge émincé et ¼ de concombre anglais coupé en demi-rondelles.

Sandwichs de tofu cordon bleu

Préparation **15 minutes** • Marinage **1 heure** • Congélation **2 heures**
Cuisson **35 minutes au moment du repas** • Quantité **4 portions**

PAR PORTION	
Calories	394
Protéines	33 g
Matières grasses	18 g
Glucides	27 g
Fibres	2 g
Fer	3 mg
Calcium	353 mg
Sodium	1029 mg

1 **Tofu ferme**
1 bloc de 454 g

2 **Vinaigrette miel et Dijon**
80 ml (⅓ de tasse)

3 **Fromage suisse**
4 tranches

4 **Jambon**
4 petites tranches

5 **Chapelure panko**
250 ml (1 tasse)

À l'avance

1. Couper le tofu en huit tranches sur la largeur.

2. Dans un bol, mélanger la vinaigrette avec les tranches de tofu, en s'assurant que le tofu est bien enrobé de vinaigrette. Couvrir et laisser mariner de 1 à 2 heures au frais.

3. Sur quatre tranches de tofu, déposer une tranche de fromage et une tranche de jambon. Couvrir avec les tranches de tofu restantes de manière à former des sandwichs.

4. Préparer deux assiettes creuses. Dans la première, battre les œufs. Dans la seconde, déposer la chapelure.

5. Tremper chaque sandwich de tofu dans les œufs, puis l'enrober de chapelure.

6. Sur une plaque tapissée de papier parchemin, déposer les sandwichs de tofu. Congeler de 2 à 3 heures.

7. Dans quatre petits sacs de congélation, déposer séparément les sandwichs de tofu.

Au moment du repas

1. Préchauffer le four à 190 °C (375 °F).

2. Sur une plaque de cuisson tapissée de papier parchemin, déposer un ou plusieurs sandwichs de tofu.

3. Cuire au four de 35 à 45 minutes en retournant les sandwichs quelques fois en cours de cuisson, jusqu'à ce qu'ils soient croustillants.

IDÉE POUR ACCOMPAGNER

Pennes courgette et carotte

356 calories par portion

Dans une casserole d'eau bouillante salée, cuire 500 ml (2 tasses) de pennes *al dente*. Égoutter. Dans la même casserole, chauffer 30 ml (2 c. à soupe) d'huile d'olive à feu moyen. Cuire 1 petite courgette et 1 carotte coupées en juliennes de 1 à 2 minutes. Remettre les pennes dans la casserole. Ajouter 125 ml (½ tasse) de noix de Grenoble et 30 ml (2 c. à soupe) de basilic frais. Saler et poivrer. Chauffer 1 minute. Garnir de 125 ml (½ tasse) de copeaux de parmesan.

1 **Mélange de trois viandes hachées**
675 g (environ 1 ½ lb)

2 **Mélange de légumes frais choix du maraîcher**
1 sac de 340 g

3 **Sauce à *hot chicken***
1 boîte de 398 ml

4 **4 grosses pommes de terre à chair jaune**
pelées

5 **Soupe aux tomates condensée**
1 boîte de 284 ml

PAR PORTION	
Calories	469
Protéines	24 g
Matières grasses	17 g
Glucides	54 g
Fibres	3 g
Fer	4 mg
Calcium	71 mg
Sodium	1110 mg

Pâté de chalet

Préparation **15 minutes** • Cuisson **54 minutes (+ 1 heure pour réchauffer)**
Réfrigération **1 heure** • Quantité **6 portions**

À l'avance

1. Préchauffer le four à 190 °C (375 °F).

2. Dans une casserole, chauffer un peu d'huile d'olive à feu moyen. Cuire le mélange de viandes hachées de 8 à 10 minutes en égrainant la viande à l'aide d'une cuillère en bois, jusqu'à ce qu'elle ait perdu sa teinte rosée. Saler et poivrer.

3. Ajouter le mélange de légumes dans la casserole et poursuivre la cuisson de 3 à 4 minutes.

4. Ajouter la sauce à *hot chicken*. Porter à ébullition, puis laisser mijoter de 8 à 10 minutes. Retirer du feu.

5. Transférer la préparation dans un plat de cuisson carré de 23 cm (9 po).

6. À l'aide d'une mandoline, tailler les pommes de terre en fines tranches.

7. Couvrir la préparation à la viande des tranches de pommes de terre. Couvrir les pommes de terre de soupe aux tomates.

8. Cuire au four de 35 à 40 minutes, jusqu'à ce que les pommes de terre soient cuites et légèrement colorées.

9. Retirer du four et laisser tiédir. Réfrigérer de 1 à 2 heures.

10. Couvrir le plat d'une pellicule plastique, puis d'une feuille de papier d'aluminium. Placer au congélateur.

Au moment du repas

1. Préchauffer le four à 190 °C (375 °F).

2. Retirer la feuille de papier d'aluminium et la pellicule plastique du plat. Remettre la feuille de papier d'aluminium sur le plat.

3. Réchauffer au four de 1 heure à 1 heure 15 minutes, jusqu'à ce que la préparation soit chaude.

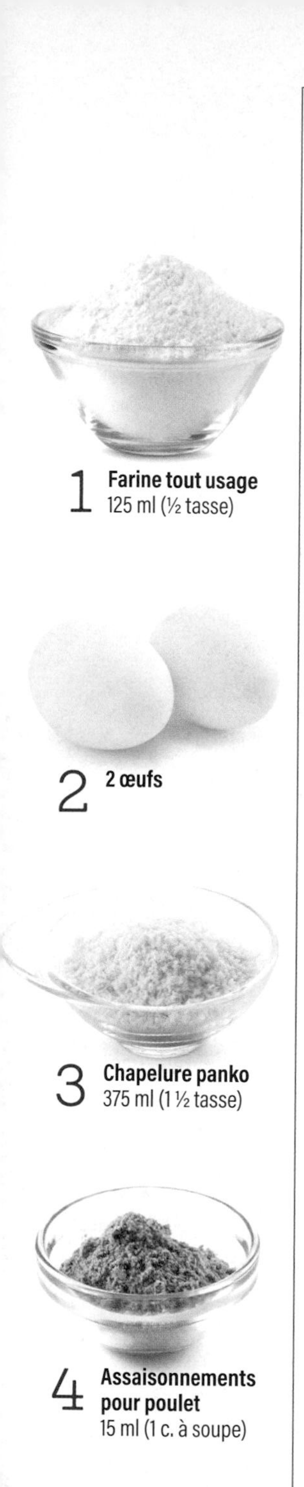

1 **Farine tout usage**
125 ml (½ tasse)

2 **2 œufs**

3 **Chapelure panko**
375 ml (1 ½ tasse)

4 **Assaisonnements pour poulet**
15 ml (1 c. à soupe)

5 **Poulet**
4 poitrines sans peau coupées en cubes

Pépites de poulet

Préparation **15 minutes** • Cuisson **18 minutes (+ 25 minutes pour réchauffer)**
Congélation **1 heure** • Quantité **4 portions**

PAR PORTION	
Calories	395
Protéines	48 g
Matières grasses	8 g
Glucides	31 g
Fibres	1 g
Fer	2 mg
Calcium	31 mg
Sodium	137 mg

À l'avance

1. Préchauffer le four à 180 °C (350 °F).

2. Préparer trois assiettes creuses. Dans la première, déposer la farine. Dans la deuxième, battre les œufs. Dans la troisième, mélanger la chapelure avec les assaisonnements pour poulet.

3. Fariner quelques cubes de poulet à la fois, les tremper dans les œufs battus, puis les enrober de préparation à la chapelure.

4. Sur une plaque de cuisson tapissée de papier parchemin, déposer les cubes de poulet. Arroser d'un peu d'huile d'olive.

5. Cuire au four de 18 à 20 minutes en retournant les cubes à mi-cuisson, jusqu'à ce que l'intérieur de la chair du poulet ait perdu sa teinte rosée.

6. Retirer du four et laisser tiédir sur la plaque. Congeler de 1 à 2 heures.

7. Répartir les pépites de poulet dans un ou plusieurs sacs hermétiques. Retirer l'air des sacs et sceller. Placer au congélateur.

Au moment du repas

1. Préchauffer le four à 205 °C (400 °F).

2. Sur une plaque de cuisson tapissée de papier parchemin, étaler les pépites de poulet.

3. Réchauffer au four de 25 à 30 minutes, en retournant les pépites à mi-cuisson.

IDÉE POUR ACCOMPAGNER

Frites de légumes

166 calories par portion

Couper 2 carottes, 2 panais, 2 pommes de terre et ½ petit rutabaga en bâtonnets. Déposer les bâtonnets dans une casserole et couvrir d'eau froide. Porter à ébullition, puis cuire 2 minutes. Égoutter et laisser tiédir. Dans un bol, mélanger les bâtonnets avec 30 ml (2 c. à soupe) d'huile d'olive et 5 ml (1 c. à thé) d'herbes de Provence. Sur une plaque de cuisson tapissée de papier parchemin, étaler les bâtonnets. Congeler de 1 à 2 heures. Répartir les bâtonnets dans un ou plusieurs sacs hermétiques. Retirer l'air des sacs et sceller. Placer au congélateur. Au moment du repas, préchauffer le four à 205 °C (400 °F). Sur une plaque de cuisson tapissée de papier parchemin, étaler les bâtonnets. Cuire au four de 25 à 30 minutes en retournant les bâtonnets quelques fois en cours de cuisson, jusqu'à ce qu'ils soient dorés.

1 **Saumon**
1 filet de 600 g (environ 1 ⅓ lb), la peau enlevée

2 **Purée de pommes de terre à l'ail**
1 contenant de 680 g

3 **3 oignons verts**
hachés

4 **2 œufs**

5 **2 fonds de tarte de 23 cm (9 po) de diamètre chacun**

PAR PORTION	
Calories	595
Protéines	17 g
Matières grasses	19 g
Glucides	53 g
Fibres	5 g
Fer	1 mg
Calcium	142 mg
Sodium	1093 mg

Pâtés au saumon

Préparation **15 minutes** • Cuisson **20 minutes (+ 45 minutes au moment du repas)** • Quantité **12 portions (2 pâtés)**

À l'avance

1. Préchauffer le four à 205 °C (400 °F).

2. Sur une plaque de cuisson tapissée de papier parchemin, déposer le filet de saumon. Saler et poivrer.

3. Cuire au four de 20 à 25 minutes. Retirer du four et défaire la chair en morceaux. Laisser tiédir.

4. Dans un bol, mélanger le saumon avec la purée de pommes de terre, les oignons verts et les œufs. Saler et poivrer.

5. Répartir la préparation dans les fonds de tarte. Égaliser la surface.

6. Couvrir chaque pâté d'une pellicule plastique, puis d'une feuille de papier d'aluminium. Placer au congélateur.

Au moment du repas

1. Préchauffer le four à 190 °C (375 °F).

2. Retirer la feuille de papier d'aluminium et la pellicule plastique des pâtés. Remettre la feuille de papier d'aluminium sur les pâtés.

3. Cuire au four de 45 minutes à 1 heure, jusqu'à ce que l'intérieur des pâtés soit chaud.

IDÉE POUR ACCOMPAGNER

Sauce aux œufs

46 calories par portion

Dans une petite casserole, déposer 2 œufs et couvrir d'eau froide. Porter à ébullition à feu moyen, puis couvrir et cuire 10 minutes. Égoutter et rafraîchir immédiatement sous l'eau très froide. Écaler les œufs, puis les couper en morceaux. Dans une autre casserole, faire fondre 30 ml (2 c. à soupe) de beurre à feu doux. Ajouter ½ petit oignon haché et 30 ml (2 c. à soupe) de farine tout usage dans la casserole. Remuer. Cuire 1 minute en remuant. Ajouter graduellement 250 ml (1 tasse) de lait 2 % en remuant constamment, jusqu'à épaississement. Saler et poivrer. Ajouter les œufs et remuer.

Pain aux lentilles

Préparation **15 minutes** • Cuisson **40 minutes (+ 45 minutes pour réchauffer)**
Réfrigération **1 heure** • Quantité **8 portions**

PAR PORTION	
Calories	359
Protéines	23 g
Matières grasses	2 g
Glucides	64 g
Fibres	11 g
Fer	6 mg
Calcium	39 mg
Sodium	63 mg

1 **Lentilles vertes** rincées et égouttées
2 boîtes de 398 ml chacune

2 **Mélange de légumes frais pour sauce à spaghetti**
375 ml (1 ½ tasse)

3 **Quinoa** cuit
250 ml (1 tasse)

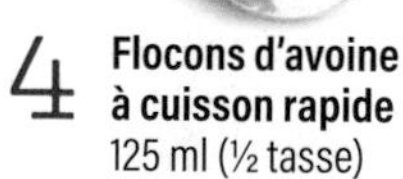

4 **Flocons d'avoine à cuisson rapide**
125 ml (½ tasse)

5 **Pâte de tomates**
30 ml (2 c. à soupe)

PRÉVOIR AUSSI :
- 1 œuf

À l'avance

1. Préchauffer le four à 180 °C (350 °F).

2. Dans le contenant du robot culinaire, déposer tous les ingrédients. Saler et poivrer. Mélanger jusqu'à l'obtention d'une préparation homogène.

3. Tapisser un moule à pain de papier parchemin. Transférer la préparation dans le moule et égaliser la surface.

4. Cuire au four de 40 à 45 minutes.

5. Retirer du four et laisser tiédir. Réfrigérer de 1 à 2 heures.

6. Couvrir le moule d'une pellicule plastique. Déposer le moule dans un grand sac hermétique. Placer au congélateur.

Au moment du repas

1. Préchauffer le four à 190 °C (375 °F).

2. Retirer la pellicule plastique du moule.

3. Réchauffer au four de 45 minutes à 1 heure, jusqu'à ce que l'intérieur du pain soit chaud.

EN COMPLÉMENT

Glaçage à la sauce tomate

23 calories par portion

Dans un bol, mélanger 125 ml (½ tasse) de sauce tomate avec 30 ml (2 c. à soupe) de sirop d'érable, 30 ml (2 c. à soupe) de vinaigre de vin rouge, 30 ml (2 c. à soupe) de ketchup, 15 ml (1 c. à soupe) de sauce soya et 5 ml (1 c. à thé) d'épices cajun. Environ 5 minutes avant la fin de la dernière cuisson du pain aux lentilles, étaler le glaçage sur le pain.

Tartes feuilletées chèvre, noix et betteraves

Préparation **15 minutes** • Cuisson **15 minutes (+ 25 minutes au moment du repas)** • Réfrigération **1 heure** • Quantité **8 portions (2 tartes)**

PAR PORTION	
Calories	393
Protéines	12 g
Matières grasses	28 g
Glucides	28 g
Fibres	5 g
Fer	2 mg
Calcium	169 mg
Sodium	392 mg

1 **Pâte feuilletée surgelée en feuilles**
1 paquet de 400 g

2 **Betteraves rouges coupées en cubes**
1 contenant de 400 g

3 **Betteraves jaunes coupées en cubes**
1 contenant de 284 g

4 **Fromage de chèvre**
1 bûchette de 125 g coupée en rondelles

5 **Noix de Grenoble** hachées grossièrement
250 ml (1 tasse)

PRÉVOIR AUSSI :

- **Assaisonnements pour salade**
  15 ml (1 c. à soupe)

À l'avance

1. Préchauffer le four à 190 °C (375 °F).

2. Sur deux plaques de cuisson tapissées de papier parchemin, déposer les feuilles de pâte feuilletée.

3. Dans un bol, mélanger les betteraves rouges et jaunes avec les assaisonnements pour salade et un peu d'huile d'olive. Saler et poivrer.

4. Répartir la préparation aux betteraves sur les feuilles de pâte feuilletée, en laissant un pourtour libre de 1 cm (½ po).

5. Cuire au four de 15 à 20 minutes. Retirer du four et laisser tiédir. Réfrigérer de 1 à 2 heures.

6. Garnir les tartes de fromage de chèvre et de noix de Grenoble.

7. Couvrir les tartes d'une pellicule plastique, puis les déposer dans deux grands sacs hermétiques. Placer au congélateur.

Au moment du repas

1. Préchauffer le four à 190 °C (375 °F).

2. Retirer la pellicule plastique des tartes. Sur deux plaques de cuisson tapissées de papier parchemin, déposer les tartes.

3. Cuire au four de 25 à 30 minutes, jusqu'à ce que les tartes soient dorées.

1 **3 poivrons de couleurs variées**
coupés en dés

2 **Tomates broyées sans sel ajouté**
1 boîte de 796 ml

3 **Haricots mélangés**
rincés et égouttés
2 boîtes de 540 ml chacune

4 **Assaisonnements pour chili**
1 sachet de 24 g

5 **Pâte à tarte**
225 g (½ lb)

Pâté style chili

Préparation **15 minutes** • Cuisson **37 minutes (+ 1 heure au moment du repas)**
Réfrigération **1 heure** • Quantité **4 portions**

PAR PORTION	
Calories	589
Protéines	23 g
Matières grasses	16 g
Glucides	95 g
Fibres	20 g
Fer	6 mg
Calcium	74 mg
Sodium	969 mg

À l'avance

1. Préchauffer le four à 205 °C (400 °F).

2. Dans une casserole, chauffer un peu d'huile d'olive à feu moyen. Cuire les poivrons de 2 à 3 minutes.

3. Ajouter les tomates broyées, les haricots et le sachet d'assaisonnements pour chili. Saler et poivrer. Porter à ébullition, puis laisser mijoter de 15 à 20 minutes à feu doux-moyen, en remuant de temps en temps. Retirer du feu.

4. Transférer la préparation dans un plat de cuisson carré de 23 cm (9 po).

5. Sur une surface légèrement farinée, abaisser la pâte en un carré de 23 cm (9 po).

6. Déposer la pâte sur la préparation aux haricots. Presser le pourtour de la pâte pour la sceller. À l'aide d'un petit couteau, faire quelques incisions au centre du pâté.

7. Cuire au four de 20 à 25 minutes.

8. Retirer du four et laisser tiédir. Réfrigérer de 1 à 2 heures.

9. Couvrir le plat d'une pellicule plastique, puis d'une feuille de papier d'aluminium. Placer au congélateur.

Au moment du repas

1. Préchauffer le four à 190 °C (375 °F).

2. Retirer la feuille de papier d'aluminium et la pellicule plastique du plat.

3. Cuire au four de 1 heure à 1 heure 15 minutes, jusqu'à ce que l'intérieur du pâté soit chaud.

1 **Farine tout usage**
500 ml (2 tasses)

2 **3 œufs**

3 **Herbes de Provence**
5 ml (1 c. à thé)

4 **Jambon**
coupé en dés
225 g (½ lb)

5 **Gruyère**
coupé en dés
150 g (⅓ de lb)

PAR PORTION	
Calories	371
Protéines	23 g
Matières grasses	14 g
Glucides	37 g
Fibres	1 g
Fer	3 mg
Calcium	477 mg
Sodium	950 mg

Pain jambon-fromage

Préparation **15 minutes** • Cuisson **55 minutes (+ 30 minutes pour réchauffer)**
Réfrigération **1 heure** • Quantité **6 portions**

À l'avance

1. Préchauffer le four à 180 °C (350 °F).

2. Dans un bol, mélanger la farine avec la poudre à pâte.

3. Dans un autre bol, fouetter les œufs avec le lait, les herbes de Provence et 30 ml (2 c. à soupe) d'huile d'olive. Saler et poivrer.

4. Incorporer les ingrédients secs aux ingrédients humides et remuer jusqu'à l'obtention d'une pâte homogène. Ajouter le jambon et le gruyère. Remuer.

5. Tapisser un moule à pain de papier parchemin. Transférer la pâte dans le moule. Égaliser la surface.

6. Cuire au four de 55 minutes à 1 heure, jusqu'à ce qu'un cure-dent inséré au centre du pain en ressorte propre.

7. Retirer du four et laisser tiédir. Réfrigérer de 1 à 2 heures.

8. Couvrir le moule d'une pellicule plastique, puis déposer dans un grand sac hermétique. Placer au congélateur.

Au moment du repas

1. Préchauffer le four à 190 °C (375 °F).

2. Retirer la pellicule plastique du plat.

3. Réchauffer au four de 30 à 40 minutes, jusqu'à ce que l'intérieur du pain soit chaud.

PRÉVOIR AUSSI :
- **Poudre à pâte**
  15 ml (1 c. à soupe)
- **Lait 2 %**
  310 ml (1 ¼ tasse)

IDÉE POUR ACCOMPAGNER

Salade de brocoli et pomme verte

126 calories par portion

Dans un saladier, mélanger 750 ml (3 tasses) de brocoli coupé en petits bouquets avec 125 ml (½ tasse) de vinaigrette crémeuse au concombre, 60 ml (¼ de tasse) de pacanes hachées, 1 pomme verte tranchée finement et ½ petit oignon rouge émincé.

PAR PORTION	
Calories	422
Protéines	19 g
Matières grasses	21 g
Glucides	38 g
Fibres	5 g
Fer	1 mg
Calcium	507 mg
Sodium	1394 mg

Soupe-repas à l'oignon

Préparation **15 minutes** • Cuisson **40 minutes (+ 32 minutes pour réchauffer)**
Réfrigération **1 heure** • Quantité **4 portions**

1 **Vinaigrette italienne**
125 ml (½ tasse)

2 **6 oignons**
émincés

3 **16 croûtons**

4 **Assaisonnements à l'ail rôti et aux poivrons**
10 ml (2 c. à thé)

5 **Gruyère**
râpé
375 ml (1 ½ tasse)

PRÉVOIR AUSSI :
- **Farine tout usage**
  60 ml (¼ de tasse)
- **Bouillon de bœuf réduit en sodium**
  1 litre (4 tasses)

FACULTATIF :
- **Bière blonde**
  250 ml (1 tasse)

À l'avance

1. Dans une casserole, chauffer la vinaigrette italienne à feu moyen. Ajouter les oignons et faire dorer de 20 à 25 minutes à feu doux, en remuant de temps en temps.

2. Saupoudrer de farine et remuer. Ajouter le bouillon de bœuf et, si désiré, la bière. Saler et poivrer. Porter à ébullition, puis laisser mijoter de 20 à 25 minutes à feu doux-moyen.

3. Retirer du feu et laisser tiédir. Réfrigérer de 1 à 2 heures.

4. Répartir la préparation dans quatre ramequins profonds.

5. Badigeonner les croûtons d'un peu d'huile d'olive et saupoudrer des assaisonnements. Répartir les croûtons dans les bols et couvrir de gruyère.

6. Couvrir les ramequins d'une pellicule plastique, puis d'une feuille de papier d'aluminium. Placer au congélateur.

Au moment du repas

1. Préchauffer le four à 190 °C (375 °F).

2. Retirer la feuille de papier d'aluminium et la pellicule plastique des ramequins.

3. Réchauffer au four de 30 à 40 minutes, jusqu'à ce que la soupe soit chaude.

4. Régler le four à la position « gril » (*broil*) et faire gratiner le gruyère de 2 à 3 minutes.

PAR PORTION	
Calories	489
Protéines	22 g
Matières grasses	32 g
Glucides	33 g
Fibres	8 g
Fer	7 mg
Calcium	588 mg
Sodium	980 mg

Spanakopitas

Préparation **15 minutes** • Cuisson **2 minutes (+ 1 heure au moment du repas)**
Quantité **4 portions**

1 **Épinards surgelés** décongelés et égouttés 2 paquets de 500 g chacun

2 **Feta** émiettée 1 contenant de 200 g

3 **2 œufs** battus

4 **Pâte phyllo** 8 feuilles

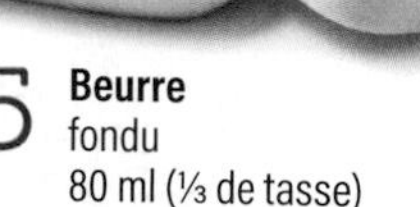

5 **Beurre** fondu 80 ml (⅓ de tasse)

À l'avance

1. Dans une poêle, chauffer un peu d'huile d'olive à feu doux-moyen. Cuire les épinards de 2 à 3 minutes, jusqu'à évaporation complète du liquide. Retirer du feu. Transférer les épinards dans un bol et laisser tiédir.

2. Ajouter la feta et les œufs dans le bol. Poivrer et remuer.

3. Badigeonner les feuilles de pâte phyllo de beurre, en les superposant au fur et à mesure. Couper les feuilles superposées en deux.

4. Tapisser le fond d'un plat de cuisson rectangle de 19 cm x 27 cm (7,5 po x 10,5 po) de la moitié des feuilles superposées.

5. Transférer la préparation aux épinards dans le plat. Égaliser la surface. Couvrir avec les feuilles restantes. Rabattre l'excédent des feuilles sous les feuilles du dessus. Couper la préparation en quatre parts égales.

6. Couvrir le plat d'une pellicule plastique, puis d'une feuille de papier d'aluminium. Placer au congélateur.

Au moment du repas

1. Préchauffer le four à 190 °C (375 °F).

2. Retirer la feuille de papier d'aluminium et la pellicule plastique du plat.

3. Cuire au four de 1 heure à 1 heure 15 minutes, jusqu'à ce que la pâte soit dorée.

IDÉE POUR ACCOMPAGNER

Salade grecque

307 calories par portion

Dans un saladier, mélanger 125 ml (½ tasse) de vinaigrette grecque avec 1 contenant de feta de 200 g coupée en dés, 12 tomates cerises coupées en deux, 12 olives Kalamata dénoyautées, 2 demi-poivrons de couleurs variées coupés en cubes, 2 concombres libanais coupés en demi-rondelles et ½ petit oignon rouge émincé.

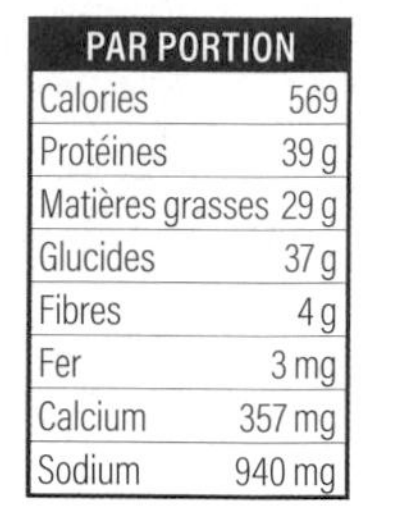

PAR PORTION	
Calories	569
Protéines	39 g
Matières grasses	29 g
Glucides	37 g
Fibres	4 g
Fer	3 mg
Calcium	357 mg
Sodium	940 mg

Lasagne au saumon

Préparation **15 minutes** • Cuisson **20 minutes (+ 40 minutes au moment du repas)** • Quantité **6 portions**

1 **Saumon**
1 filet de 600 g (environ 1 ⅓ lb), la peau enlevée

2 **9 pâtes à lasagne**

3 **Sauce Alfredo à l'ail rôti**
625 ml (2 ½ tasses)

4 **Épinards surgelés**
décongelés et égouttés
1 sac de 500 g

5 **Mozzarella**
râpée
375 ml (1 ½ tasse)

FACULTATIF :
- **Champignons blancs**
  émincés
  1 contenant de 227 g

À l'avance

1. Préchauffer le four à 205 °C (400 °F).

2. Sur une plaque de cuisson tapissée de papier parchemin, déposer le filet de saumon. Saler et poivrer.

3. Cuire au four de 20 à 25 minutes. Retirer du four et défaire la chair en morceaux. Laisser tiédir.

4. Pendant ce temps, cuire les pâtes à lasagne *al dente* dans une casserole d'eau bouillante salée. Égoutter.

5. Si désiré, chauffer un peu d'huile d'olive à feu moyen dans une poêle. Cuire les champignons de 2 à 3 minutes. Retirer du feu et laisser tiédir.

6. Dans un plat de cuisson carré de 23 cm (9 po), verser un peu de sauce Alfredo.

7. Dans un bol, mélanger le reste de la sauce Alfredo avec le saumon et, si désiré, les champignons.

8. Déposer trois pâtes à lasagne au fond du plat. Couvrir de la moitié de la préparation au saumon et de la moitié des épinards. Répéter ces étapes une fois. Couvrir des pâtes à lasagne restantes, puis de fromage.

9. Couvrir le plat d'une pellicule plastique, puis d'une feuille de papier d'aluminium. Placer au congélateur.

Au moment du repas

1. Préchauffer le four à 205 °C (400 °F).

2. Retirer la feuille de papier d'aluminium et la pellicule plastique du plat.

3. Cuire au four de 37 à 52 minutes, jusqu'à ce que la lasagne soit chaude.

4. Régler le four à la position « gril » (*broil*) et faire gratiner le fromage 3 minutes.

Quiches aux asperges, épinards et feta

Préparation **15 minutes** • Cuisson **35 minutes (+ 35 minutes pour réchauffer)**
Réfrigération **1 heure** • Quantité **8 portions (2 quiches)**

PAR PORTION	
Calories	356
Protéines	15 g
Matières grasses	22 g
Glucides	24 g
Fibres	2 g
Fer	3 mg
Calcium	202 mg
Sodium	485 mg

1 **10 œufs**

2 **Asperges** coupées en tronçons 225 g (½ lb)

3 **Bébés épinards** émincés 500 ml (2 tasses)

4 **Feta** émiettée 1 contenant de 200 g

5 **2 fonds de tarte de 23 cm (9 po) de diamètre chacun**

PRÉVOIR AUSSI :
- **Lait 2 %** 250 ml (1 tasse)

À l'avance

1. Préchauffer le four à 190 °C (375 °F).

2. Dans un bol, fouetter les œufs avec le lait. Ajouter les asperges, les épinards et la feta. Saler et poivrer.

3. Répartir la préparation dans les fonds de tarte.

4. Cuire au four de 35 à 40 minutes, jusqu'à ce que la préparation soit prise.

5. Retirer du four et laisser tiédir. Réfrigérer de 1 à 2 heures.

6. Couvrir les quiches d'une pellicule plastique, puis d'une feuille de papier d'aluminium. Placer au congélateur.

Au moment du repas

1. Préchauffer le four à 190 °C (375 °F).

2. Retirer la feuille de papier d'aluminium et la pellicule plastique des quiches.

3. Réchauffer au four de 35 à 45 minutes, jusqu'à ce que l'intérieur des quiches soit chaud.

ASTUCE *5-15*

Recette à doubler

Cette recette est parfaite pour faire d'une pierre deux coups ! Elle se double et se congèle facilement pour avoir encore plus de provisions pour les soirs où le temps, ou tout simplement l'envie, de cuisiner manque !

PAR PORTION	
Calories	337
Protéines	32 g
Matières grasses	15 g
Glucides	26 g
Fibres	3 g
Fer	1 mg
Calcium	188 mg
Sodium	438 mg

Poulet parmigiana

Préparation **15 minutes** • Cuisson **4 minutes (+ 25 minutes au moment du repas)** • Quantité **4 portions**

1 **Farine tout usage**
80 ml (⅓ de tasse)

2 **Chapelure panko**
250 ml (1 tasse)

3 **Poulet**
2 poitrines sans peau

4 **Mozzarella**
4 tranches

5 **Sauce marinara**
250 ml (1 tasse)

PRÉVOIR AUSSI :
- **2 œufs**

À l'avance

1. Préparer trois assiettes creuses. Dans la première, déposer la farine. Dans la deuxième, battre les œufs. Dans la troisième, déposer la chapelure.

2. Couper les poitrines de poulet en deux sur l'épaisseur afin de former des escalopes. Saler et poivrer.

3. Fariner les escalopes, les tremper dans les œufs battus, puis les enrober de chapelure.

4. Dans une grande poêle, chauffer un peu d'huile d'olive à feu moyen. Faire dorer les escalopes de 2 à 3 minutes de chaque côté.

5. Déposer les escalopes dans un plat de cuisson. Laisser tiédir.

6. Garnir les escalopes de tranches de mozzarella et napper de sauce marinara.

7. Couvrir le plat d'une pellicule plastique, puis d'une feuille de papier d'aluminium. Placer au congélateur.

Au moment du repas

1. Préchauffer le four à 205 °C (400 °F).

2. Retirer la feuille de papier d'aluminium et la pellicule plastique du plat.

3. Cuire au four de 25 à 30 minutes, jusqu'à ce que l'intérieur de la chair du poulet ait perdu sa teinte rosée.

POUR VARIER

Profitez des légumes de saison

Osez sortir des sentiers battus en servant ce classique poulet parmigiana avec une belle salade composée de légumes de saison au lieu des traditionnelles pâtes au pesto. Une belle façon de colorer l'assiette et de manger sa portion de légumes !

Ailes de poulet miel et ail

Préparation **15 minutes** • Marinage **1 heure** • Cuisson **20 minutes (+ 20 minutes pour réchauffer)** • Réfrigération **1 heure**
Congélation **1 heure** • Quantité **4 portions**

PAR PORTION	
Calories	669
Protéines	52 g
Matières grasses	39 g
Glucides	29 g
Fibres	1 g
Fer	2 mg
Calcium	51 mg
Sodium	579 mg

1 **Ketchup**
125 ml (½ tasse)

2 **Sauce Worcestershire**
15 ml (1 c. à soupe)

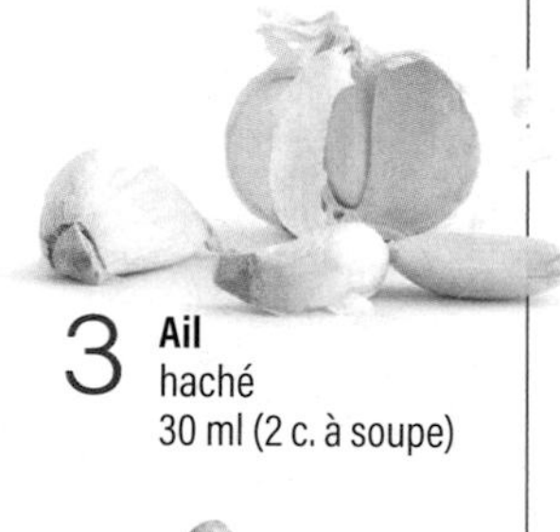

3 **Ail**
haché
30 ml (2 c. à soupe)

4 **Miel**
60 ml (¼ de tasse)

5 **Poulet**
24 ailes

À l'avance

1. Préchauffer le four à 205 °C (400 °F).

2. Dans un bol, mélanger le ketchup avec la sauce Worcestershire, l'ail, le miel et les ailes de poulet, en s'assurant que les ailes sont bien enrobées de sauce. Saler et poivrer. Couvrir et laisser mariner de 1 à 2 heures au frais.

3. Sur une plaque de cuisson tapissée de papier parchemin, déposer les ailes de poulet. Napper de la marinade.

4. Cuire au four de 20 à 25 minutes en retournant les ailes de poulet à mi-cuisson, jusqu'à ce que l'intérieur de la chair du poulet ait perdu sa teinte rosée.

5. Retirer du four et laisser tiédir. Réfrigérer de 1 à 2 heures, puis congeler de 1 à 2 heures.

6. Répartir les ailes de poulet dans un ou plusieurs sacs hermétiques. Retirer l'air des sacs et sceller. Placer au congélateur.

Au moment du repas

1. Préchauffer le four à 220 °C (425 °F).

2. Sur une plaque de cuisson tapissée de papier parchemin, étaler les ailes de poulet.

3. Réchauffer au four de 20 à 35 minutes, jusqu'à ce que les ailes soient chaudes.

IDÉE POUR ACCOMPAGNER

Quartiers de pommes de terre cajun

266 calories par portion

Couper de 5 à 6 pommes de terre en fins quartiers. Dans un bol, mélanger les pommes de terre avec 30 ml (2 c. à soupe) d'huile d'olive et 15 ml (1 c. à soupe) d'épices cajun. Sur une plaque de cuisson tapissée de papier parchemin, étaler les pommes de terre. Cuire au four de 20 à 25 minutes à 205 °C (400 °F), en remuant à mi-cuisson.

Pâtés aux légumes

Préparation **15 minutes** • Cuisson **5 minutes (+ 50 minutes au moment du repas)** • Réfrigération **1 heure** • Quantité **8 portions (2 pâtés)**

PAR PORTION	
Calories	425
Protéines	18 g
Matières grasses	19 g
Glucides	46 g
Fibres	8 g
Fer	4 mg
Calcium	265 mg
Sodium	629 mg

1 **Mélange de légumes surgelés de style californien**
1 sac de 750 g

2 **Crème de champignons condensée**
1 boîte de 284 ml

3 **Haricots blancs**
rincés et égouttés
1 boîte de 540 ml

4 **2 fonds de tarte de 23 cm (9 po) de diamètre chacun**

5 **Mélange de fromages italiens râpés**
500 ml (2 tasses)

PRÉVOIR AUSSI :

- **Lait 2 %**
  250 ml (1 tasse)
- **Fécule de maïs**
  15 ml (1 c. à soupe)

À l'avance

1. Dans une casserole d'eau bouillante salée, cuire le mélange de légumes de 5 à 6 minutes. Égoutter.

2. Dans un bol, mélanger le lait avec la fécule de maïs.

3. Dans la même casserole, verser la crème de champignons et la fécule délayée. Porter à ébullition en fouettant, jusqu'à épaississement. Retirer du feu.

4. Ajouter le mélange de légumes, les haricots et la moitié du fromage dans la casserole. Remuer. Laisser tiédir et réfrigérer de 1 à 2 heures.

5. Répartir la préparation dans les fonds de tarte. Égaliser la surface. Parsemer du reste du fromage.

6. Couvrir les pâtés d'une pellicule plastique, puis d'une feuille de papier d'aluminium. Placer au congélateur.

Au moment du repas

1. Préchauffer le four à 190 °C (375 °F).

2. Retirer la feuille de papier d'aluminium et la pellicule plastique des pâtés.

3. Cuire au four de 50 minutes à 1 heure, jusqu'à ce que l'intérieur des pâtés soit chaud.

POUR VARIER

Utilisez votre légumineuse préférée

Pas de haricots blancs sous la main ? Pas de problème ! Ce pâté est parfait avec toutes les variétés de légumineuses, que ce soit des lentilles ou des pois chiches. Essayez-le également avec du poulet cuit en cubes si vous aimez la viande. Bref, n'hésitez pas à adapter cette recette au goût de votre petite famille !

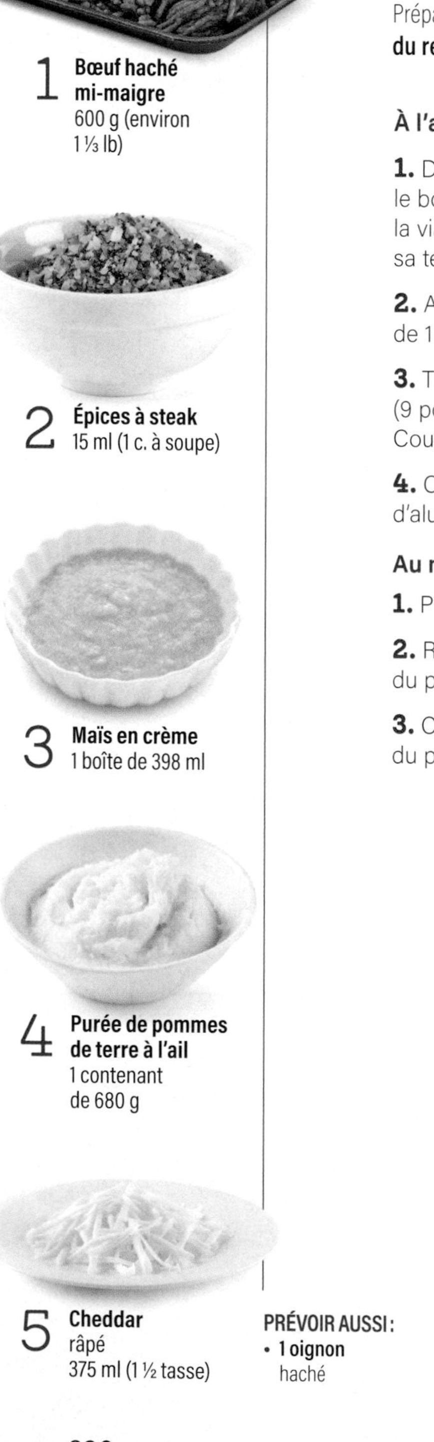

1 **Bœuf haché mi-maigre**
600 g (environ 1 ⅓ lb)

2 **Épices à steak**
15 ml (1 c. à soupe)

3 **Maïs en crème**
1 boîte de 398 ml

4 **Purée de pommes de terre à l'ail**
1 contenant de 680 g

5 **Cheddar**
râpé
375 ml (1 ½ tasse)

PRÉVOIR AUSSI :
- **1 oignon** haché

PAR PORTION	
Calories	1061
Protéines	37 g
Matières grasses	32 g
Glucides	104 g
Fibres	10 g
Fer	2 mg
Calcium	387 mg
Sodium	2771 mg

Pâté chinois gratiné

Préparation **15 minutes** • Cuisson **6 minutes (+ 45 minutes au moment du repas)** • Quantité **6 portions**

À l'avance

1. Dans une poêle, chauffer un peu d'huile d'olive à feu moyen. Cuire le bœuf haché et les épices à steak de 5 à 7 minutes en égrainant la viande à l'aide d'une cuillère en bois, jusqu'à ce qu'elle ait perdu sa teinte rosée.

2. Ajouter l'oignon dans la poêle. Saler et poivrer. Poursuivre la cuisson de 1 à 2 minutes, en remuant de temps en temps.

3. Transférer la préparation dans un plat de cuisson carré de 23 cm (9 po). Couvrir de maïs en crème, puis de purée de pommes de terre. Couvrir de cheddar.

4. Couvrir le plat d'une pellicule plastique, puis d'une feuille de papier d'aluminium. Placer au congélateur.

Au moment du repas

1. Préchauffer le four à 190 °C (375 °F).

2. Retirer la feuille de papier d'aluminium et la pellicule plastique du plat.

3. Cuire au four de 45 minutes à 1 heure, jusqu'à ce que l'intérieur du pâté chinois soit chaud.

IDÉE DE GÉNIE

Assaisonnement express

Ultra-goûteuses, les épices à steak sont l'ingrédient magique pour relever illico n'importe quelle préparation culinaire ! Utilisées dans ce plat culte de la cuisine québécoise, elles ajoutent beaucoup de saveurs au mélange de viande. Promis, tout le monde voudra savoir pourquoi votre pâté chinois est encore meilleur que d'habitude. À vous de partager ou non votre petit secret !

Egg rolls au porc

Préparation **15 minutes** • Cuisson **16 minutes (+ 20 minutes pour réchauffer)**
Congélation **1 heure** • Quantité **6 portions (12 egg rolls)**

PAR PORTION	
Calories	370
Protéines	12 g
Matières grasses	26 g
Glucides	25 g
Fibres	1 g
Fer	3 mg
Calcium	26 mg
Sodium	364 mg

1 **Porc haché mi-maigre**
225 g (½ lb)

2 **4 champignons blancs**
hachés

3 **Mélange de légumes pour salade de chou**
250 ml (1 tasse)

4 **Sauce soya**
30 ml (2 c. à soupe)

5 **12 feuilles de pâte pour pâtés impériaux surgelées**
décongelées

PRÉVOIR AUSSI :
- **1 jaune d'œuf**
  battu avec un peu d'eau
- **Huile de canola (pour la friture)**
  2 litres (8 tasses)

FACULTATIF :
- **2 oignons verts**
  hachés

À l'avance

1. Dans une poêle, chauffer un peu d'huile de canola à feu moyen. Cuire le porc haché de 5 à 7 minutes en égrainant la viande à l'aide d'une cuillère en bois, jusqu'à ce qu'elle ait perdu sa teinte rosée.

2. Ajouter les champignons et le mélange de légumes pour salade de chou dans la poêle. Poursuivre la cuisson de 2 à 3 minutes.

3. Ajouter la sauce soya. Laisser mijoter de 3 à 5 minutes à feu doux, jusqu'à évaporation complète du liquide. Retirer du feu et laisser tiédir. Si désiré, ajouter les oignons verts. Poivrer et remuer.

4. Sur le plan de travail, déposer six feuilles de pâte pour pâtés impériaux. Couvrir les feuilles restantes d'un linge humide pour éviter qu'elles ne s'assèchent. Déposer 45 ml (3 c. à soupe) de préparation au porc haché au centre de chaque feuille de pâte. Badigeonner le pourtour de la feuille de jaune d'œuf. Replier la partie inférieure de la feuille sur la garniture. Badigeonner la pâte de jaune d'œuf. Presser le joint et les extrémités pour sceller. Confectionner le reste des egg rolls en procédant de la même manière.

5. Dans une friteuse ou dans une grande casserole, chauffer l'huile de canola jusqu'à ce qu'elle atteigne une température de 180 °C (350 °F) sur un thermomètre à cuisson. Si une casserole est utilisée, bien surveiller la cuisson pour éviter que l'huile ne surchauffe et ne s'enflamme.

6. Faire frire quelques egg rolls à la fois de 2 à 3 minutes, en les retournant plusieurs fois en cours de cuisson. Égoutter et déposer sur une feuille de papier absorbant. Laisser tiédir.

7. Déposer les egg rolls sur une plaque. Congeler de 1 à 2 heures.

8. Répartir les egg rolls dans un ou plusieurs sacs hermétiques. Placer au congélateur.

Au moment du repas

1. Préchauffer le four à 205 °C (400 °F).

2. Sur une plaque de cuisson tapissée de papier parchemin, étaler les egg rolls. Badigeonner les egg rolls d'un peu d'huile de canola.

3. Réchauffer au four de 20 à 25 minutes.

Enchiladas aux légumes

Préparation **15 minutes** • Cuisson **11 minutes (+ 40 minutes au moment du repas)** • Réfrigération **1 heure** • Quantité **4 portions**

PAR PORTION	
Calories	685
Protéines	34 g
Matières grasses	23 g
Glucides	90 g
Fibres	17 g
Fer	7 mg
Calcium	663 mg
Sodium	1941 mg

1 **Haricots noirs**
rincés et égouttés
1 boîte de 540 ml

2 **Maïs en grains**
1 boîte de 540 ml

3 **Salsa moyenne**
1 pot de 645 ml

4 **8 petites tortillas**

5 **Mélange de fromages râpés de type tex-mex**
500 ml (2 tasses)

PRÉVOIR AUSSI :
- **1 oignon** haché

À l'avance

1. Dans une poêle, chauffer un peu d'huile d'olive à feu moyen. Cuire l'oignon 1 minute.

2. Ajouter les haricots, le maïs et le tiers de la salsa. Porter à ébullition, puis laisser mijoter de 10 à 12 minutes à feu doux-moyen, jusqu'à évaporation presque complète du liquide.

3. Retirer du feu et laisser tiédir. Réfrigérer de 1 à 2 heures.

4. Répartir la préparation aux légumes sur les tortillas. Garnir de la moitié du fromage. Rouler en serrant.

5. Dans un plat de cuisson, déposer les enchiladas, joint dessous. Napper du reste de la salsa et couvrir du reste du fromage.

6. Couvrir le plat d'une pellicule plastique, puis d'une feuille de papier d'aluminium. Placer au congélateur.

Au moment du repas

1. Préchauffer le four à 205 °C (400 °F).

2. Retirer la feuille de papier d'aluminium et la pellicule plastique du plat.

3. Cuire au four de 40 à 55 minutes, jusqu'à ce que l'intérieur des enchiladas soit chaud.

Patates douces farcies végétariennes

Préparation **15 minutes** • Cuisson **8 minutes (+ 45 minutes pour réchauffer)**
Quantité **4 portions**

PAR PORTION	
Calories	348
Protéines	12 g
Matières grasses	6 g
Glucides	64 g
Fibres	12 g
Fer	4 mg
Calcium	94 mg
Sodium	250 mg

1 **4 patates douces moyennes**

2 **Bébés épinards**
750 ml (3 tasses)

3 **Pois chiches**
rincés et égouttés
½ boîte de 540 ml

4 **Quinoa cuit**
375 ml (1 ½ tasse)

5 **Tomates séchées**
émincées
125 ml (½ tasse)

À l'avance

1. Piquer les patates douces à l'aide d'une fourchette.

2. Déposer les patates douces dans une assiette allant au micro-ondes. Cuire au micro-ondes de 8 à 10 minutes, jusqu'à tendreté. Retirer du micro-ondes et laisser tiédir.

3. Pendant ce temps, chauffer un peu d'huile d'olive à feu moyen dans une poêle. Déposer les épinards, les pois chiches, le quinoa, les tomates séchées et 60 ml (¼ de tasse) d'eau dans la poêle. Cuire de 4 à 5 minutes. Saler et poivrer. Retirer du feu et laisser tiédir.

4. Couper les patates douces en deux sur la longueur, sans les trancher complètement. Farcir les patates douces de la préparation.

5. Dans un plat de cuisson carré de 23 cm (9 po), déposer les patates douces.

6. Couvrir le plat d'une pellicule plastique, puis d'une feuille de papier d'aluminium. Placer au congélateur.

Au moment du repas

1. Préchauffer le four à 205 °C (400 °F).

2. Retirer la feuille de papier d'aluminium et la pellicule plastique du plat. Remettre la feuille de papier d'aluminium sur le plat.

3. Réchauffer au four de 45 minutes à 1 heure, jusqu'à ce que la préparation soit chaude.

Index des recettes

Plats principaux

Bœuf et veau

Mets végé

Pâtes et pizzas

Poissons et fruits de mer

Porc

Volaille